#국어성취도평가
#실전모의고사

HME
국어 학력평가

Chunjae
Maketh
Chunjae

▼

HME 국어 학력평가 4학년

편집개발 김동렬, 원명희, 김한나, 김주남, 안정아
디자인총괄 김희정
표지디자인 윤순미, 강태원, 김지현
내지디자인 박희춘, 이혜진, 배미현
제작 황성진, 조규영

발행일 2021년 8월 1일 초판 2022년 8월 1일 2쇄
발행인 (주)천재교육
주소 서울시 금천구 가산로9길 54
신고번호 제2001-000018호
고객센터 1577-0902
교재 구입문의 1588-5566

HME 국어 학력평가

HME 국어 학력평가는 초등 국정 교과서를 집필하시는 교수 분들을 중심으로

〈초등 국어 학력평가 문항 개발 연구 위원회〉가 평가 문항을 개발하고

천재교육에서 평가를 주관하는 종합 국어 능력 측정 시험입니다.

초등 국어 학력평가 문항 개발 연구 위원회

- **책임 연구원**　이경화(한국교원대 교수)
- **공동 연구원**　최규홍(진주교대 교수), 김상한(한국교원대 교수), 김혜선, 최종윤, 박혜림(한국교원대 교수)
- **출제진**　　　초등국어교육 박사
　　　　　　　최종윤, 송민주, 신윤경, 천효정, 박혜림, 안부영, 이근영, 신선희, 김혜선, 하근회, 김지영,
　　　　　　　최규홍, 김상한

　　　　　　　초등국어교육 박사 과정
　　　　　　　진솔, 김정은, 장동민, 김은지

　　　　　　　초등국어교육 석사
　　　　　　　김은선, 김미애, 이영신, 김문화

- **검토진**　　　교수
　　　　　　　이수진, 전제응, 이창근, 이경남, 최민영, 김태호

　　　　　　　초등국어교육 전공 박사 과정
　　　　　　　백희정, 배재훈

HME 국어 학력평가

국어 기초 능력 평가
국어 학습의 기반이 되는 기초 국어 능력을 측정합니다.

독해력 평가
국어 능력의 중요 요소인 독해력을 각 세부 영역별로 측정합니다.

교과 과정 성취도 평가
각 학년별 국어 교과 과정의 주요 성취 기준 도달도를 측정합니다.

전국 석차 제시
전체 수험자의 평가 값을 백분위화하여 자신의 국어 능력치를 객관적으로 확인할 수 있습니다.

통합사고력 평가
사고력, 창의력 문제 해결력의 척도를 측정합니다.

종합 국어 능력 수준 5단계 측정

성적	수준 구분	백분위
최우수	기대 성취도 이상의 국어 활용 능력을 보이며 통합 사고력 및 심화 독해력까지 매우 뛰어난 수준임.	1~10% 내외
우수	기대 성취도 이상의 국어 활용 능력을 보이며 통합 사고력 및 심화 독해력이 우수한 수준임.	11~20% 내외
보통	해당 학년의 기대 성취도에 부합하는 국어 구사 능력을 보임.	21~35% 내외
기초	해당 학년에 필수적인 국어 활용 능력을 갖추고 있으나 노력이 필요함.	36~50% 내외
노력	해당 학년에 필수적인 국어 활용 능력에 미달. 독해, 어휘, 문법 등 기초 국어 학습이 필요함.	51% 이하

※성적 측정 백분위는 학년별, 연도별로 기준치가 달라집니다.

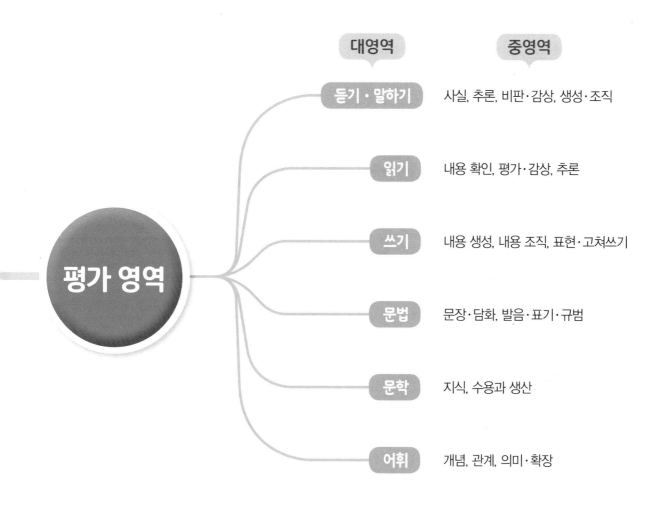

대영역	중영역
듣기·말하기	사실, 추론, 비판·감상, 생성·조직
읽기	내용 확인, 평가·감상, 추론
쓰기	내용 생성, 내용 조직, 표현·고쳐쓰기
문법	문장·담화, 발음·표기·규범
문학	지식, 수용과 생산
어휘	개념, 관계, 의미·확장

평가 영역

종합 독해력 5단계 측정

HME 국어 학력평가에서 독해력 측정에 필요한 평가 요소를 세부 영역별로 분석하여 학생의 독해력 수준과 지도 방향을 제시합니다.

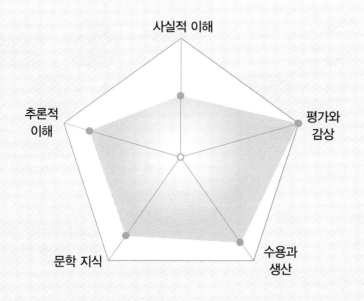

독해력 총점	45점 / 58점

독해의 유형을 다섯 가지 세부 영역으로 구분하여 나에게 익숙한 독서 방법과 보충해야 할 독해 방법을 안내합니다.

─ 지도 방향 예 ─
글의 내용을 요약하는 데 익숙하지 않습니다. 글에서 중요한 정보와 그렇지 않은 정보를 선별하며 읽어 보세요.

교재 구성

HME 국어 학력평가

평가 영역 분석

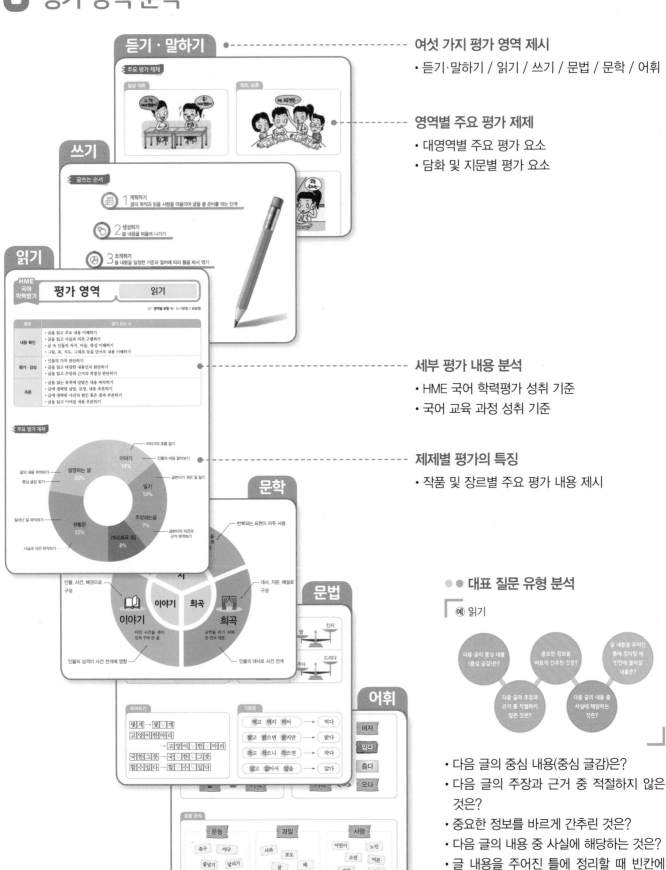

듣기·말하기

주요 평가 제재
- 일상 대화
- 회의, 토론

쓰기

글쓰는 순서
1. 계획하기 - 글의 목적과 읽을 사람을 떠올리며 글을 쓸 준비를 하는 단계
2. 생성하기 - 쓸 내용을 떠올려 나가기
3. 조직하기 - 쓸 내용을 일정한 기준과 절차에 따라 틀을 짜서 엮기

읽기

HME 국어 학력평가 평가 영역 - 읽기

(※ 영역별 문항 수: 5~7문항 / 30문항)

분류	평가 요소 ↓
내용 확인	· 글을 읽고 주요 내용 이해하기 · 글을 읽고 사실과 의견 구별하기 · 글 속 인물의 처지, 마음, 특성 이해하기 · 그림, 표, 지도, 그래프 등을 단서로 내용 이해하기
평가·감상	· 인물의 가치 판단하기 · 글을 읽고 타당한 내용인지 판단하기 · 글을 읽고 주장과 근거의 적절성 판단하기
추론	· 글을 읽는 목적에 알맞은 내용 파악하기 · 글에 생략된 낱말, 문장, 내용 추론하기 · 글에 생략된 사건의 원인 혹은 결과 추론하기 · 글을 읽고 이어질 내용 추론하기

주요 평가 제재

- 이야기 18%
- 설명하는 글 25%
- 일기 10%
- 주장하는글 7%
- 생활문 32%
- 기타(희곡 외) 8%

- 이야기의 흐름 읽기
- 인물의 마음 알아보기
- 글쓴이가 겪은 일 읽기
- 글의 내용 파악하기
- 중심 글감 찾기
- 일어난 일 파악하기
- 글쓴이의 의견과 근거 파악하기
- 사실과 의견 파악하기

문학

- 반복되는 표현이 자주 사용
- 인물, 사건, 배경으로 구성
- 이야기
- 희곡 - 대사, 지문, 해설로 구성
- 이야기 - 어떤 사건을 재미있게 꾸며 쓴 글
- 인물의 성격이 사건 전개에 영향
- 인물의 대사로 사건 전개
- 희곡 - 공연을 하기 위해 쓴 연극 대본

문법

- 진지, 밥
- 드리다, 주다

어휘

띄어쓰기
- 몇개 → 몇∨개
- 고양이한마리 → 고양이∨한∨마리
- 국한그릇 → 국∨한∨그릇
- 할수있다 → 할∨수∨있다

기본형
- 먹고 먹지 먹어 → 먹다
- 밝고 밝으면 밝지만 → 밝다
- 작고 작으니 작으면 → 작다
- 앉고 앉아서 앉을 → 앉다

- 여자 / 입다 / 춥다 / 오다

포함 관계
- 운동: 축구, 야구, 줄넘기, 달리기
- 과일: 사과, 포도, 귤, 배
- 사람: 어린이, 노인, 소년, 어른, 여자, 남자

여섯 가지 평가 영역 제시
- 듣기·말하기 / 읽기 / 쓰기 / 문법 / 문학 / 어휘

영역별 주요 평가 제제
- 대영역별 주요 평가 요소
- 담화 및 지문별 평가 요소

세부 평가 내용 분석
- HME 국어 학력평가 성취 기준
- 국어 교육 과정 성취 기준

제제별 평가의 특징
- 작품 및 장르별 주요 평가 내용 제시

대표 질문 유형 분석

예) 읽기

- 다음 글의 중심 내용(중심 글감)은?
- 중요한 정보를 바르게 간추린 것은?
- 글 내용을 주어진 틀에 정리할 때 빈칸에 들어갈 내용은?
- 다음 글의 주장과 근거 중 적절하지 않은 것은?
- 다음 글의 내용 중 사실에 해당하는 것은?

- 다음 글의 중심 내용(중심 글감)은?
- 다음 글의 주장과 근거 중 적절하지 않은 것은?
- 중요한 정보를 바르게 간추린 것은?
- 다음 글의 내용 중 사실에 해당하는 것은?
- 글 내용을 주어진 틀에 정리할 때 빈칸에 들어갈 내용은?

대표 유형 문제

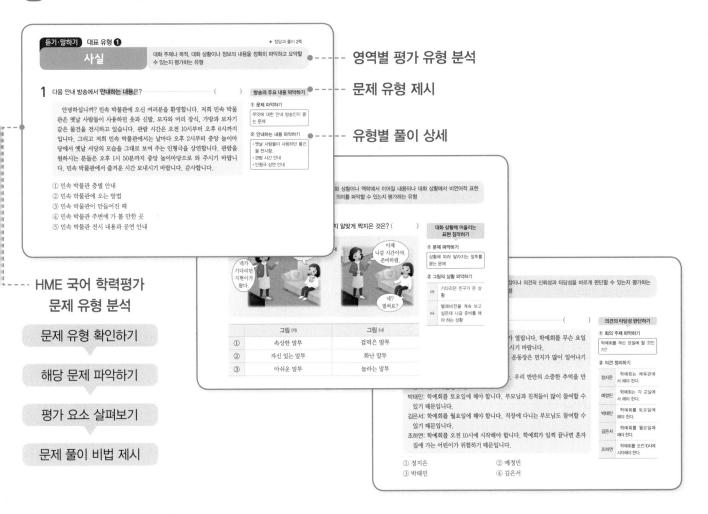

영역별 평가 유형 분석

문제 유형 제시

유형별 풀이 상세

HME 국어 학력평가
문제 유형 분석

문제 유형 확인하기

해당 문제 파악하기

평가 요소 살펴보기

문제 풀이 비법 제시

실전 모의고사 4회 제공

- 실제 HME 국어 학력평가와 같은 구성의 실전 모의고사
- 실제 HME 국어 학력평가와 유사한 난이도 구성

HME 국어 학력평가 차례

평가 영역과 대표 유형

- 듣기 · 말하기 ·················· 8
- 읽기 ·················· 14
- 쓰기 ·················· 22
- 문법 ·················· 27
- 문학 ·················· 32
- 어휘 ·················· 36

실전 모의고사

- 1회 ·················· 42
- 2회 ·················· 60
- 3회 ·················· 78
- 4회 ·················· 96

HME 국어 학력평가

평가 영역 ➕ 대표 유형 문제

- 평가 영역별 출제 유형 분석
- 출제 유형별 문제 해결 과정 제시

듣기·말하기

읽기

쓰기

문법

문학

어휘

평가 영역

듣기·말하기

●● **영역별 문항 수:** 3~4문항 / 30문항

분류	평가 요소 예
사실	• 대화의 주제나 목적 파악하기 • 대화에서 중요한 내용 이해하기 • 대화 내용 요약하기
추론	• 대화에서 이어질 내용 예측하기 • 표정, 몸짓, 말투의 의미 짐작하기 • 회의에서 이어질 내용 예측하기 • 대화의 앞뒤 관계에서 직접 드러나지 않은 내용 파악하기
비판 · 감상	• 의견의 적절성을 평가하며 듣기 • 적절한 표정, 몸짓, 말투인지 평가하며 듣기
생성 · 조직	• 화제에 맞게 대화 내용 이어 가기 • 일의 순서가 드러나게 말하기 • 적절한 표현 수단을 활용하여 대화하기

주요 평가 제재

일상 대화

회의, 토론

발표

전화 대화

[듣기·말하기] 평가 문항은 듣고 말하는 여러 가지 상황에서 상대가 전하고자 하는 정보를 정확히 파악하고 나의 의도를 상대에게 분명히 전할 수 있는지를 평가하기 위해 출제됩니다.

대화는 듣기, 말하기를 통해 상대와 정보, 감정, 의견 등을 함께 나누는 활동입니다. 글을 읽고 쓰는 것과는 달리, 대화는 표정, 몸짓, 말투 등 비언어적 요소와 대화를 나누는 상황에 따라 그 의미와 해석이 달라지기도 합니다.

[듣기·말하기] 평가 영역에서는 이러한 대화의 특성을 이해하고 여러 가지 상황에서 효과적으로 국어를 구사할 수 있는지 평가하게 됩니다. 특히 초등 4학년 [듣기·말하기]에서는 대화 내용을 요약하는 문제, 회의에서 이어질 내용을 묻는 문제가 자주 출제됩니다.

🎏 대표 질문 유형

다음 친구들이 이야기를 나누는 주제는?

다음 대화에서 밑줄 그은 행동의 의미를 바르게 이해한 것은?

다음 대화에 이어질 말로 알맞은 것은?

밑줄 그은 부분에 어울리는 표정, 몸짓, 목소리로 알맞은 것은?

다음 회의 장면에서 이어질 말은?

🎏 주요 평가 요소

대화의 목적과 주제를 알고 있는가?

상대의 상황과 처지를 이해하며 대화할 수 있는가?

상황에 적절한 말을 주고받을 수 있는가?

적절한 표정, 몸짓, 말투를 구사할 수 있는가?

원만한 대화 내용을 만들 수 있는가?

사실

대화 주제나 목적, 대화 상황이나 정보의 내용을 정확히 파악하고 요약할 수 있는지 평가하는 유형

1 다음 안내 방송에서 **안내하는 내용은?** ⋯⋯⋯⋯⋯⋯⋯⋯⋯⋯⋯⋯ ( )

> 안녕하십니까? 민속 박물관에 오신 여러분을 환영합니다. 저희 민속 박물관은 옛날 사람들이 사용하던 옷과 신발, 모자와 머리 장식, 가방과 보자기 같은 물건을 전시하고 있습니다. 관람 시간은 오전 10시부터 오후 6시까지입니다. 그리고 저희 민속 박물관에서는 날마다 오후 2시부터 중앙 놀이마당에서 옛날 서당의 모습을 그대로 보여 주는 인형극을 상연합니다. 관람을 원하시는 분들은 오후 1시 50분까지 중앙 놀이마당으로 와 주시기 바랍니다. 민속 박물관에서 즐거운 시간 보내시기 바랍니다. 감사합니다.

① 민속 박물관 층별 안내
② 민속 박물관에 오는 방법
③ 민속 박물관이 만들어진 때
④ 민속 박물관 주변에 가 볼 만한 곳
⑤ 민속 박물관 전시 내용과 공연 안내

방송의 주요 내용 파악하기

1 문제 파악하기
무엇에 대한 안내 방송인지 묻는 문제

2 안내하는 내용 파악하기
• 옛날 사람들이 사용하던 물건을 전시함.
• 관람 시간 안내
• 인형극 상연 안내

2 문제 **1**의 안내 방송에서 민속 박물관에서 상연하는 **인형극에 대한 정보로** 알맞지 **않은** 것은? ⋯⋯⋯⋯⋯⋯⋯⋯⋯⋯⋯⋯⋯⋯⋯⋯⋯⋯⋯ ( )
① 매일 상연한다.
② 오후 2시부터 시작한다.
③ 중앙 놀이마당에서 상연한다.
④ 옛날 서당의 모습을 그대로 보여 준다.
⑤ 관람하려면 오후 1시 30분까지 가서 관람권을 받아야 한다.

방송의 세부 내용 파악하기

● 인형극에 대해 알 수 있는 정보
① 상연 시간
② 상연 장소
③ 인형극의 내용
④ 주의할 점

추론

대화 상황이나 맥락에서 이어질 내용이나 대화 상황에서 비언어적 표현의 의미를 파악할 수 있는지 평가하는 유형

3 그림 ㈎와 ㈏에서 **여자아이의 말투**는 어떠할지 알맞게 짝지은 것은? (　　　)

	그림 ㈎	그림 ㈏
①	속상한 말투	겁먹은 말투
②	자신 있는 말투	화난 말투
③	아쉬운 말투	놀라는 말투
④	시무룩한 말투	힘없는 말투
⑤	반가운 말투	아쉬운 말투

대화 상황에 어울리는 표현 짐작하기

1 문제 파악하기

상황에 따라 달라지는 말투를 묻는 문제

2 그림의 상황 파악하기

㈎	기다리던 친구가 온 상황
㈏	텔레비전을 계속 보고 싶은데 나갈 준비를 해야 하는 상황

4 다음 대화 장면에서 해리가 민채에게 말했을 내용으로 알맞은 것은? ···(　　　)

> 해리: 민채야, 왜 그렇게 기운이 없어?
> 민채: 줄넘기 50개를 하려고 일주일 동안 연습했는데 잘 안 돼서 속상해.
> 해리: [　　　　　　　　　　　　]
> 민채: 해리야, 고마워. 덕분에 기운이 나.

① 나는 잘하는데 부럽지?
② 그래? 그럼 그냥 포기해.
③ 너는 원래 운동을 잘 못하잖아.
④ 조금만 더 노력하면 잘할 수 있을 거야.
⑤ 그건 됐고, 지금 나랑 같이 축구하러 갈래?

인물의 말 짐작하기

● 해리의 말을 들은 민채는 해리에게 고맙다고 하였습니다. 어떤 말을 들었을 때 기운이 나고 고마운 마음이 드는지 생각해 봅니다.

비판·감상

주장이나 의견의 신뢰성과 타당성을 바르게 판단할 수 있는지 평가하는 유형

5 다음 회의에서 **의견을 알맞게 말한 사람**은? ⋯⋯⋯⋯⋯⋯⋯⋯ (   )

> 사회자: 다가오는 ○월에 강당에서 학예회가 열립니다. 학예회를 무슨 요일에 하는 것이 좋을지 한 사람씩 발표해 주시기 바랍니다.
>
> 정지은: 학예회는 체육관에서 해야 합니다. 운동장은 먼지가 많이 일어나기 때문입니다.
>
> 예정민: 학예회는 각 교실에서 해야 합니다. 우리 반만의 소중한 추억을 만들 수 있기 때문입니다.
>
> 박태민: 학예회를 토요일에 해야 합니다. 부모님과 친척들이 많이 참여할 수 있기 때문입니다.
>
> 김은서: 학예회를 월요일에 해야 합니다. 직장에 다니는 부모님도 참여할 수 있기 때문입니다.
>
> 조하연: 학예회를 오전 10시에 시작해야 합니다. 학예회가 일찍 끝나면 혼자 집에 가는 어린이가 위험하기 때문입니다.

① 정지은   ② 예정민
③ 박태민   ④ 김은서
⑤ 조하연

의견의 타당성 판단하기

1 회의 주제 파악하기

학예회를 무슨 요일에 할 것인가?

2 의견 정리하기

정지은	학예회는 체육관에서 해야 한다.
예정민	학예회는 각 교실에서 해야 한다.
박태민	학예회를 토요일에 해야 한다.
김은서	학예회를 월요일에 해야 한다.
조하연	학예회를 오전 10시에 시작해야 한다.

친구들의 의견 평가하기

● 회의 주제에 알맞은 의견을 말한 사람: 박태민, 김은서
● 의견에 알맞은 근거를 말한 사람: 정지은, 예정민, 박태민

---

6 다음은 **문제 ⑤의 회의**에서 친구의 발표에 대해 평가한 표입니다. 다음 **평가표에 해당하는 사람**은? ⋯⋯⋯⋯⋯⋯⋯⋯⋯⋯⋯⋯⋯⋯⋯⋯⋯ (   )

평가 목록	평가하기 (○: 그렇다 / ×: 아니다)	
회의 주제에 알맞은 의견을 말하였는가?	◎	×
의견에 알맞은 근거를 말하였는가?	○	⊗

① 정지은   ② 예정민
③ 박태민   ④ 김은서
⑤ 조하연

생성·조직

주제와 관련하여 말할 내용을 떠올리거나 말할 내용을 일정한 기준이나 절차에 따라 엮을 수 있는지 평가하는 유형

7 다음 친구들의 대화에서 ㉠에 들어갈 말로 알맞은 것은? ·············· (   )

회의 주제 떠올리기

1 문제 파악하기

> 조건에 알맞은 회의 주제를 찾는 문제

2 그림의 내용 파악하기

> **회의 주제를 정하는 방법**
> • 해결해야 할 문제를 찾는다.
> • 모두가 관심을 보일 만한 것을 찾는다.

3 헷갈리는 보기 추려내기

> 학급 회의 주제로는 학교에서 일어난 일에 대한 내용이 알맞습니다.

① 편식을 하지 말자.
② 가족 나들이를 어디로 갈 것인가?
③ 친구 병문안을 갈 때 무엇을 가지고 갈까?
④ 점심 급식을 받을 때 어떤 순서로 받으면 좋을까?
⑤ 우리 마을의 주차 부족 문제를 어떻게 해결할 것인가?

8 다음 민지의 말에 **맞장구치는** 말을 알맞게 한 사람은? ·············· (   )

> 민지: 지난 주말에 극장에 가서 영화를 보았어.

① 재우: 오늘 날씨가 정말 좋구나!
② 유라: 운동은 어떤 것을 좋아하니?
③ 하린: 나는 극장에서 파는 팝콘을 좋아해.
④ 연준: 재미있었겠다. 어떤 내용의 영화였어?
⑤ 은찬: 나는 도서관에 가서 책 읽는 것을 좋아해.

맞장구치는 말 알아보기

● 맞장구치는 말은 남의 말에 덩달아 호응하거나 동의하는 말입니다.

평가 영역 | 읽기

◐◑ **영역별 문항 수:** 5~7문항 / 30문항

분류	평가 요소 (예)
내용 확인	• 글을 읽고 주요 내용 이해하기 • 글을 읽고 사실과 의견 구별하기 • 글 속 인물의 처지, 마음, 특성 이해하기 • 그림, 표, 지도, 그래프 등을 단서로 내용 이해하기
평가 · 감상	• 인물의 가치 판단하기 • 글을 읽고 타당한 내용인지 판단하기 • 글을 읽고 주장과 근거의 적절성 판단하기
추론	• 글을 읽는 목적에 알맞은 내용 파악하기 • 글에 생략된 낱말, 문장, 내용 추론하기 • 글에 생략된 사건의 원인 혹은 결과 추론하기 • 글을 읽고 이어질 내용 추론하기

주요 평가 제재

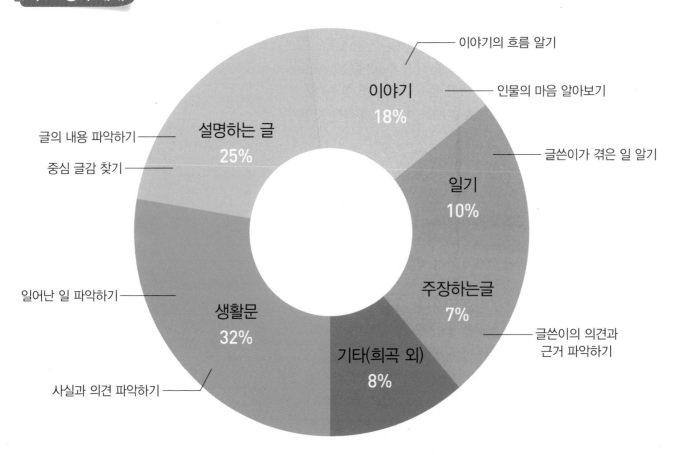

🔒 평가의 목적

[읽기] 평가 문항은 제시된 글을 읽고 글의 내용을 정확히 파악하여 이를 자신의 지식으로 쌓을 수 있는지를 평가하기 위해 출제됩니다.

읽기는 글로 표현된 정보와 생각을 나의 경험과 지식을 바탕으로 이해하고 이를 다시 나의 경험과 지식으로 되쌓는 활동입니다. 글의 종류나 글을 읽는 목적에 따라 다양한 유형의 읽기 방법이 있고 거기서 쌓게 되는 지식의 유형도 다양합니다.

초등 4학년 [읽기] 영역에서는 내용을 파악하고 이를 체계화하여 습득하는 활동이 본격적으로 이루어집니다. **글의 중심 내용을 파악하고 이를 글의 짜임에 따라 이해할 수 있는지, 글의 사실과 의견을 구분하고 이를 비판적으로 생각할 수 있는지 평가하는 문제**가 자주 출제됩니다.

따라서 글을 읽을 때 일부분의 내용에 집중하기보다는 글 전체에서 해당 부분이 어떤 역할을 하고 왜 문단이 나뉘었는지 전체적인 짜임을 생각하며 읽는 연습이 필요합니다.

🔒 대표 질문 유형

- 다음 글의 중심 내용 (중심 글감)은?
- 다음 글의 주장과 근거 중 적절하지 않은 것은?
- 중요한 정보를 바르게 간추린 것은?
- 다음 글의 내용 중 사실에 해당하는 것은?
- 글 내용을 주어진 틀에 정리할 때 빈칸에 들어갈 내용은?

🔒 주요 평가 요소

- 글의 중심 내용을 파악하며 읽을 수 있는가?
- 드러나지 않은 내용이나 결과를 짐작할 수 있는가?
- 글의 구조나 짜임을 이해하고 있는가?
- 읽는 목적에 따라 중요한 내용을 찾을 수 있는가?
- 주장과 근거가 적절한지 판단할 수 있는가?

내용 확인

글을 읽고 글의 중심 글감, 중심 내용을 파악할 수 있는지, 글의 정보를 바르게 이해하고 있는지 평가하는 유형

1 다음 글에서 **설명하는 내용은?** ⋯⋯⋯⋯⋯⋯⋯⋯⋯⋯⋯⋯⋯⋯ (   )

> ㉠ 물벼룩은 녹색말을 먹고 살며, 진딧물이나 매미는 식물의 진을 빨아 먹고 산다. 그런가 하면 소와 말, 토끼, 노루 같은 동물은 나뭇잎이나 풀을 뜯어 먹고 산다. ㉡ 이와 같이 식물을 먹고 사는 동물을 초식 동물이라고 한다.
>
> ㉢ 그러나 호랑이, 사자, 독수리, 뱀, 상어, 고래 같은 동물은 작은 짐승이나 물고기와 같은 동물을 잡아먹고 산다. 이와 같이 동물을 먹고 사는 동물을 육식 동물이라고 한다.
>
> ㉣ 또 닭과 오리 같은 새 종류 가운데에는 식물의 씨앗을 먹기도 하고, 벌레나 물고기 같은 작은 동물을 잡아먹는 것도 있다. ㉤ 사람, 돼지, 쥐도 식물성 먹이와 동물성 먹이를 함께 먹는다. 이와 같은 동물을 잡식 동물이라고 한다.

① 먹이에 따른 동물의 분류
② 육식 동물이 사냥하는 방법
③ 사는 곳에 따른 동물의 분류
④ 식물의 씨앗이 번식하는 방법
⑤ 동물의 먹이와 몸 크기의 관계

글의 중심 내용 파악하기

1 글의 내용 파악하기

첫째 문단	식물을 먹고 사는 동물을 초식 동물이라고 한다.
둘째 문단	동물을 먹고 사는 동물을 육식 동물이라고 한다.
셋째 문단	식물성 먹이와 동물성 먹이를 함께 먹고 사는 동물을 잡식 동물이라고 한다.

2 문제 해결하기

초식 동물, 육식 동물, 잡식 동물로 나누는 기준이 무엇인지 생각해 봅니다.

2 문제 **1** 의 글 에서 ㉠~㉤을 **중심 문장과 뒷받침 문장으로 나눌 때 나머지와 다른 하나는?** ⋯⋯⋯⋯⋯⋯⋯⋯⋯⋯⋯⋯⋯⋯⋯⋯⋯⋯⋯⋯⋯⋯ (   )

① ㉠   ② ㉡
③ ㉢   ④ ㉣
⑤ ㉤

문단에서 중심 문장 찾아보기

● 중심 문장은 문단의 내용을 대표하는 문장으로 보통 문단의 처음이나 끝에 있습니다.

3 다음 신문 기사의 내용을 간추린 것으로 가장 알맞은 것은? ·················· (   )

신문 기사의 내용 파악하기

● 독도의 날 소개
● 우리 학교에서 열리는 독도의 날 행사 소개
● 독도의 날 행사의 의의
● 기자의 바람

학교 신문

독도의 날 행사 실시

10월 25일은 '독도의 날'입니다. 이날은 1900년 10월 25일에 고종 황제가 독도를 우리 땅이라고 세계에 알린 것을 기념하는 날입니다.

우리 학교에서는 해마다 독도의 날에 초등학생을 위한 다양한 행사를 실시합니다. 교장 선생님의 독도에 대한 훈화를 비롯해, 독도 퀴즈 대회 및 독도에게 편지 쓰기, 「독도는 우리 땅」 합창 대회가 열립니다.

이러한 독도의 날 행사는 우리들에게 우리 땅 독도의 중요성을 일깨워 주는 데 매우 도움이 된다고 생각합니다. 많은 학생이 적극적으로 참여해 멋진 독도 지킴이가 되기를 기대합니다.

윤이솔 기자

더 중요한 내용 파악하기

● '독도의 날'에 대한 정보보다 '독도의 날 행사 실시'에 대한 내용이 더 중요한 내용입니다.

① 10월 25일은 독도의 날이다.

② 독도의 날은 1900년 10월 25일에 제정되었다.

③ 10월 25일에 열리는 독도의 날 행사에 적극적으로 참여하자.

④ 독도의 날 행사는 독도의 중요성을 일깨워 주는 데 도움이 된다.

⑤ 독도의 날은 고종 황제가 독도를 우리 땅이라고 세계에 알린 것을 기념하는 날이다.

---

4 문제 **3** 의 신문 기사 에 실린 내용을 사실과 의견으로 나눌 때, 글에 나타난 사실만을 | 보기 |에서 고른 것은? ·················· (   )

사실과 의견 알기

● **사실:** 현재에 있는 일이나 실제로 있었던 일
● **의견:** 그 일에 대한 생각

┤ 보기 ├

㉠ 10월 25일은 '독도의 날'입니다.

㉡ 많은 학생이 적극적으로 참여해 멋진 독도 지킴이가 되기를 기대합니다.

㉢ 우리 학교에서는 해마다 독도의 날에 초등학생을 위한 다양한 행사를 실시합니다.

㉣ 독도의 날 행사는 우리들에게 우리 땅 독도의 중요성을 일깨워 주는 데 매우 도움이 된다고 생각합니다.

① ㉠, ㉡   ② ㉠, ㉢   ③ ㉢, ㉣

④ ㉡, ㉣   ⑤ ㉠, ㉣

평가·감상

글을 읽고 글쓴이의 생각을 찾거나 주장에 대한 근거가 타당한지, 글을 읽는 목적에 알맞은 내용을 찾을 수 있는지 평가하는 유형

5 다음 글에서 **글쓴이의 주장**으로 가장 알맞은 것은? ················· (   )

> 요즈음 텔레비전을 보다 보면 외국 말을 사용하는 경우를 많이 볼 수 있다. '게스트', '브랜드' 등과 같은 말이나, '리얼하다', '핸섬하다' 등과 같은 문구도 심심찮게 볼 수 있다. 우리말에 적절한 낱말이 없어서 외국 말을 받아들인 경우도 있겠지만, 외국 말을 아무 생각 없이 섞어서 쓸 때가 너무 많다. 이렇게 무분별하게 외국 말을 사용하기보다는 아름다운 우리말을 살려서 쓰면 좋겠다.
>
> 왜냐하면 외국 말을 무분별하게 사용하다 보면 우리말을 사용하는 횟수가 줄어들어 결국 아름다운 우리말이 점점 사라질 수 있기 때문이다. 요즈음 어린아이들도 우리말로 할 수 있는 말을 외국 말로 바꾸어 사용하는 것을 흔히 볼 수 있는데, 이러다 보면 언제인가는 사라지는 우리말이 지금보다 더욱 많이 생기게 될 것이다.
>
> 그리고 어렵고 낯선 외국 말보다 아름다운 우리말이 알기도 쉽고, 우리 정서에도 알맞기 때문이다. '게스트'는 '손님'으로, '브랜드'는 '상표'로, '리얼하다'는 '사실 같다'로, '핸섬하다'는 '멋지다'로 바꾸면 읽기도 쉽고 더 정겹다.
>
> 굳이 외국 말을 사용하지 않아도 순수한 우리말로 얼마든지 나타낼 수 있다. 우리의 역사와 전통 안에 살아 있는 우리말을 우리 힘으로 지키고 아름답게 가꾸어 나가야 한다.

① 텔레비전 시청 시간을 줄이자.
② 아름다운 우리말을 살려서 쓰자.
③ 우리 문화를 지키고 발전시키자.
④ 외국 말은 어른이 된 후에 배우자.
⑤ 어릴 때부터 외국어 공부를 시작하자.

글쓴이의 주장 파악하기

1 글의 내용 파악하기

서론	외국 말을 무분별하게 쓰는 경우가 많다.
본론	• 외국 말을 무분별하게 사용하다 보면 우리말이 사라질 수 있다. • 우리말이 알기도 쉽고 우리 정서에도 알맞다.
결론	우리말을 우리 힘으로 지키고 아름답게 가꾸어 나가야 한다.

2 문제 해결하기

> 주장하는 글에서 글쓴이의 주장은 서론이나 본론에 잘 나타나 있습니다.

6 문제 **5**의 글 을 읽고 **적절성을 판단한** 것으로 알맞은 것은? ·········· (   )

	주장이 문제 상황과 관련 있는가?	근거가 주장을 잘 뒷받침하는가?	주장이 실천 가능한가?
①	○	×	○
②	○	○	×
③	×	○	○
④	×	×	×
⑤	○	○	○

주장과 근거의 적절성 판단하기

● 외국 말을 무분별하게 쓰는 경우가 많다는 문제 상황이 나타나 있습니다.

7 다음 광고를 바르게 이해한 것은? ·······································(   )

광고의 의도 파악하기

◦ 광고의 내용 살펴보기

"가는 말이 거칠어야 오는 말이 곱다."라는 말

↓

언어 생활이 거칠어졌다는 의미

↓

고운 말을 사용하면 서로 친절하게 대할 수 있다.

"가는 말이 거칠어야 오는 말이 곱다?"

우리 속담에 이런 말들이 있습니다.
"말 한마디로 천냥 빚을 갚는다."
"가는 말이 고와야 오는 말이 곱다."
그러나 우리는 지금, 가는 말이 거칠어야
오는 말이 곱다라고 착각할 정도로
거칠어진 언어 속에서 살고 있는지도 모릅니다.
음식점에서, 버스 속에서, 유원지에서,
우리의 일상생활 속에서…….

그러나 의외로 친절은 가까운 곳에 있습니다.
정이 들어있는 고운 인사말 한마디에
언제나 흐뭇한 웃음을 떠올리듯,
친절은 바로 서로를 이해할 수 있는
고운 말 한마디 속에 있습니다.

① 속담의 내용을 시대에 맞게 새로 고쳐야 한다.
② 음식점, 버스, 유원지에서만 고운 말을 쓰면 된다.
③ 거친 말을 많이 사용해야 다른 사람에게 고운 말을 들을 수 있다.
④ 점점 고운 말이 사라져 앞으로는 고운 말을 쓸 수 없게 될 것이다.
⑤ 고운 말을 사용하면 서로를 이해할 수 있고 친절하게 서로를 대할 수 있다.

8 문제 **7** 의 광고에 달린 다음 댓글을 읽고 생각한 내용으로 가장 알맞은 것은? ·······································(   )

광고의 주제 파악하기

◦ 고운 말을 쓰자는 내용의 공익 광고입니다.

> ∟ 뭔소리: 웃기고 있네. 내가 거칠게 말해야 사람들이 '네네' 하거든. 거칠게 말하지 않고 부드럽게 말하면 나를 만만한 사람으로 본다니까.

① 무조건 공익 광고의 내용이 맞아.
② 댓글을 단 이런 사람 때문에 광고가 만들어졌구나.
③ 가는 말이 거칠어야 하는 까닭을 잘 설명한 댓글이야.
④ 우리나라 국민들의 언어 습관에 대해 매우 잘 알고 있구나.
⑤ 맞아. 광고의 그림에서도 거친 말을 하니까 상대가 웃고 있네.

추론

글을 읽고 글에서 생략된 낱말, 문장, 내용 등을 짐작하거나 원인과 결과에 알맞은 내용을 추론할 수 있는지 평가하는 유형

9 다음 글의 빈칸에 들어갈 내용은? ·································· (　　　)

> 　파스타를 삶는 것은 간단하고 쉬운 일 같지만, 사실 파스타 요리에 있어 가장 중요하면서도 복잡한 과정입니다. 파스타를 맛있게 삶는 방법을 소개합니다.
>
> 　첫째, 커다랗고 깊은 냄비를 사용합니다. ☐☐☐☐☐☐☐☐☐☐
> 　둘째, 파스타를 물로 헹구지 않습니다. 파스타 표면에 있는 끈적끈적한 전분기가 씻겨 나가면 파스타에 소스가 잘 묻어나지 않기 때문입니다.

① 파스타는 다른 나라에서 전해진 음식이기 때문입니다.

② 파스타 자체에는 전혀 간이 되어 있지 않기 때문입니다.

③ 파스타가 바닥에 눌러 붙으면 더 맛있게 먹을 수 있기 때문입니다.

④ 파스타를 잘 삶는 것보다 중요한 것은 소스를 맛있게 만드는 것이기 때문입니다.

⑤ 삶는 동안 파스타가 움직일 수 있는 공간이 있어야 서로 들러붙지 않기 때문입니다.

생략된 내용 짐작하기

1 글의 내용 파악하기

> **파스타를 맛있게 삶는 방법**
> • 커다랗고 깊은 냄비를 사용한다.
> • 파스타를 물로 헹구지 않아야 소스가 잘 묻어난다.

2 빈칸에 들어갈 내용 짐작하기

> 파스타를 커다랗고 깊은 냄비에 삶았을 때 좋은 점과 관련이 있는 내용이어야 합니다.

10 정린이가 다음 편지를 쓴 의도로 가장 알맞은 것은? ············ (　　　)

> 엄마, 아빠께
> 　엄마, 아빠! 저 정린이예요.
> 　뉴스에서 본 내용을 알려 드리려고 편지를 썼어요. 일기예보에서는 이번 주말에 날씨가 아주 좋대요. 나들이하기에 좋은 날씨라고 했어요. 그리고 우리 동네 뉴스에서는 이번 주말부터 동물원에서 꽃 전시회가 열린다는 내용이 나왔어요. 예쁜 꽃과 귀여운 동물을 보면 기분이 좋아지겠죠?
> 　　　　　　　　　　　　　　엄마, 아빠의 사랑스러운 딸 정린 올림

① 뉴스의 내용을 전달하기 위해서이다.

② 주말에 동물원에 가자고 말하기 위해서이다.

③ 좋아하는 동물에 대하여 소개하기 위해서이다.

④ 힘들게 일하시는 부모님을 응원하기 위해서이다.

⑤ 집에서 강아지를 기르자고 설득하기 위해서이다.

글쓴이의 의도 파악하기

● 편지의 단서 살펴보기

11 다음 글을 통해 짐작할 수 있는, 헬렌 켈러가 추구하는 삶은? ·········· (   )

인물이 추구하는 삶 파악하기

    헬렌 켈러는 어릴 때 열병으로 시각과 청각을 잃었다. 보지 못하고, 듣지 못하고, 말하지 못하는 장애를 가지고 있었지만 앤 설리번이라는 선생님을 만나 세상과 소통하는 방법을 배우게 된다.
    앤 설리번 선생님은 헬렌 켈러의 손에 사물의 이름을 써 주었고, 헬렌 켈러는 배우고 싶다는 마음이 생겼다. 헬렌 켈러는 아침에 일찍 일어나자마자 글자를 쓰기 시작해 하루 종일 글을 쓰는 연습을 했고, 결국 글자를 통해 다른 사람에게 자기 생각을 전할 수 있게 되었다.

① 자연을 보호하는 삶
② 이웃과 더불어 사는 삶
③ 생명을 소중하게 여기는 삶
④ 주어진 것에 만족하며 사는 삶
⑤ 포기하지 않고 끊임없이 노력하는 삶

> • 헬렌 켈러에 대해 알아보기
>
> 아침 일찍 일어나자마자 글자를 쓰기 시작해 하루 종일 글을 쓰는 연습을 함.
>
> 글을 통해 자신의 생각을 전할 수 있게 됨.
>
> ↓
>
> 헬렌 켈러는 장애를 극복하기 위해 노력함.

12 문제 **11** 의 글 을 바탕으로 다음 상황에서 헬렌 켈러가 어떤 행동을 했을지 바르게 짐작한 것? ··· (   )

인물의 행동 짐작하기

    헬렌 켈러는 시각·청각·언어 장애를 가진 소녀가 입으로 말하는 법을 배웠다는 소식을 들었다.

↓

☐

① 샘이 나서 그 소녀에 대한 험담을 하였다.
② 힘든 노력을 한 그 소녀를 한심하게 생각했다.
③ 그 소녀에 대한 소식이 거짓말일 것이라고 의심하였다.
④ 자신도 말할 수 있다는 희망을 가지고 끊임없이 노력하였다.
⑤ 자신이 말을 못하는 것은 앤 설리번 선생님의 탓이라고 화를 냈다.

> • 헬렌 켈러가 추구하는 삶과 관련지어 어떤 행동을 할지 짐작할 수 있습니다.

평가 영역

쓰기

영역별 문항 수: 3~4문항 / 30문항

분류	평가 영역
내용 생성	• 제재나 내용에 알맞은 낱말이나 문장 떠올리기 • 글을 쓰는 목적에 맞게 내용 떠올리기 • 자료를 수집하고 분석하여 쓸 내용 만들기
내용 조직	• 글의 전개 방법에 맞게 글 구성하기 • 글의 목적이나 주제에 관련된 내용을 조직하기 • 글의 주제나 문맥에 어울리게 내용 조직하기 • 글의 핵심 내용을 강조하거나 반복하여 조직하기 • 문장이나 문단의 내용이나 순서가 관계있도록 조직하기
표현 · 고쳐쓰기	• 글의 목적, 주제, 읽는 이 등에 맞게 글 쓰기 • 중심 문장과 뒷받침 문장을 갖추어 문단 쓰기 • 문단의 차례를 알맞게 배치하기 • 글을 효과적으로 전달할 수 있는 표현 방법 사용하기 • 문장 부호, 띄어쓰기, 문장 호응을 알맞게 고치기 • 글자나 낱말을 알맞게 고쳐 쓰기

글쓰는 순서

1 계획하기
글의 목적과 읽을 사람을 떠올리며 글을 쓸 준비를 하는 단계

2 생성하기
쓸 내용을 떠올려 나가기

3 조직하기
쓸 내용을 일정한 기준과 절차에 따라 틀을 짜서 엮기

4 표현하기
읽을 사람이 이해하기 쉽게 쓰기

5 고쳐쓰기
글, 문단, 문장, 낱말 수준에서 고쳐쓰기

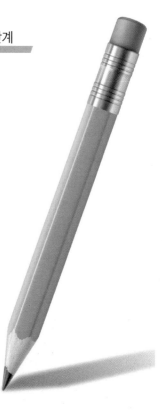

  쓰기 평가 영역은 한 편의 글을 쓰기 위한 일련의 과정을 이해하고 의도에 맞게 글을 쓰는 능력을 갖추고 있는지 평가하기 위한 영역입니다.

  글을 쓸 때는 글의 목적과 주제에 맞게 쓸 내용을 떠올리고 이를 조직화하여 자료를 수집하게 됩니다. 그리고 중심 문장과 뒷받침 문장을 갖추어 문단을 쓴 후에 알맞게 배치하여 글을 완성합니다. 글을 완성한 후에는 제목, 문단, 문장이나 낱말 등을 살펴보며 고쳐쓰기를 합니다.

  쓰기 평가 영역에서는 이러한 글쓰기 과정을 충분히 이해하고 있는지, 적절한 표현 능력을 갖추었는지를 평가하게 됩니다. 특히 초등 4학년 쓰기 영역에서는 **글쓰기 계획에 따라 쓸 내용을 떠올리고 이를 순서에 맞게 조직할 수 있는지** 평가하는 문제가 주로 출제됩니다.

📖 **대표 질문 유형**

- 쓸 내용을 떠올렸을 때 알맞은 것은?
- 글을 쓸 때 알맞은 표현은?
- 글을 쓰는 방법으로 알맞은 것은?
- 글을 보완할 수 있는 방법으로 알맞은 것은?
- 주장을 뒷받침하는 근거를 알맞게 쓴 사람은?

📖 **주요 평가 요소**

- 글에 들어갈 내용을 떠올릴 수 있는가?
- 자료를 알맞게 해석하고 활용할 수 있는가?
- 글의 문제점을 파악하여 고쳐쓸 수 있는가?
- 문단의 순서를 알맞게 배치할 수 있는가?
- 조건에 맞게 문장을 표현할 수 있는가?

내용 생성

글을 쓰기 전에 배경지식을 활용하여 쓸 내용을 떠올리고 떠올린 내용을 짜임에 알맞게 구조화할 수 있는지 평가하는 유형

1 다음 **동물 실험에 대한 글을 쓰기 위해 떠올린 내용으로 알맞지 <u>않은</u> 것은?**
.... ( )

① 의약품이나 화장품을 만들 때 동물을 대상으로 실험하는 것임.

② 동물의 생명을 존중하지 않는 일임.

동물 실험

③ 질병 치료 등 큰 목표를 위해서는 어쩔 수 없는 선택임.

④ 동물에게 안전한 것이 인간에게도 안전한 것은 아님.

⑤ 2014년부터 반려동물 등록제가 시행되고 있음.

글을 쓸 내용 떠올리기

1 문제 파악하기

동물 실험에 대한 글을 쓸 때 쓸 내용을 묻는 문제

2 떠올릴 내용

· 동물 실험에 찬성하는 입장과 반대하는 입장의 내용을 떠올려야 함.
· 동물 실험의 효과나 도덕성 등에 대한 내용을 떠올려야 함.

2 다음 글을 읽고 친구들에게 '컬러 푸드'에 대하여 설명하는 글을 쓰려고 할 때 떠올린 내용으로 알맞지 <u>않은</u> 것은? .... ( )

'컬러 푸드(color food)'는 하나의 색깔을 선명하게 띠는 식품을 통틀어 이르는 말입니다. 빨간 토마토, 노란 호박, 초록 채소, 검은 콩 등과 같이 다양한 색깔을 가진 식품은 색깔만 다른 것이 아니라 저마다 맛과 향, 효능이 다르다고 합니다.
검은색 식품은 노화를 예방하고, 빨간색과 노란색 식품은 면역력에 좋다고 알려져 있습니다. 이처럼 식품의 색깔에 따라 효능이 여러 가지입니다.

① 눈 건강에 좋은 음식의 색깔
② 노화를 예방하는 검은색 식품의 예
③ 색깔이 사람의 마음에 미치는 영향
④ 컬러 푸드의 효능을 높이는 조리 방법
⑤ 함께 먹으면 더 좋은 컬러 푸드의 종류

'컬러 푸드'에 대한 글을 쓸 때 들어갈 내용 ⑩

● '컬러 푸드'의 뜻
● '컬러 푸드'의 종류
● '컬러 푸드'의 활용 방법

내용 조직

글의 목적이나 주제를 잘 드러낼 수 있도록 문단이나 문장을 알맞게 연결하여 글에 쓸 내용을 체계적으로 조직할 수 있는지 평가하는 유형

3 다음 주장하는 글을 쓰기 위해 내용을 정리한 표에서 빈칸에 들어갈 내용으로 알맞지 **않은** 것은? ··· (　　　)

서론	초등학생의 스마트폰 이용 시간을 제한해야 한다는 사람이 많지만 초등학생의 스마트폰 이용 시간을 제한하면 안 된다.
본론	
결론	초등학생이 스마트폰을 이용하는 시간은 제한이 없어야 한다.

① 스마트폰으로 게임을 하며 스트레스를 풀 수 있다.
② 친구들과 연락을 주고받으며 친목을 쌓을 수 있다.
③ 긴급한 상황이 있을 때 바로 연락할 수 있어야 한다.
④ 학습에 도움이 되는 자료를 찾아볼 때 스마트폰을 활용할 수 있다.
⑤ 스마트폰은 중독성이 있어서 습관적으로 수업 시간에도 자꾸 스마트폰을 확인하게 된다.

글을 쓸 내용 조직하기

1 표의 내용 파악하기
• 주장: 초등학생의 스마트폰 이용 시간을 제한하면 안 된다.

2 빈칸에 들어갈 내용 파악하기
• 본론에는 주장에 대한 근거가 들어가야 함.
• 스마트폰 이용 시간을 제한하지 않았을 때의 좋은 점이 들어가야 함.

4 문제 **3**의 표를 바탕으로 주장하는 글을 쓸 때 **활용할 수 있는 근거 자료**로 알맞은 것은? ··· (　　　)

① 스마트폰 사용으로 시력이 나빠진 사례를 다룬 신문 기사
② 스마트폰으로 접할 수 있는, 학습에 도움을 주는 누리집의 예
③ 스마트폰 중독으로 집중력이 떨어진다는 전문가의 면담 내용
④ 스마트폰 사용과 관련된 교통사고가 늘어난다는 내용의 그래프
⑤ 스마트폰을 이용해 일어나는 새로운 형태의 학교 폭력을 다룬 텔레비전 뉴스

주장하는 글을 쓸 때 알맞은 자료 알아보기

● 주장과 근거를 뒷받침할 수 있는 것
● 출처가 믿을 만한 것

표현 · 고쳐쓰기

주제나 읽는 사람 등을 생각하며 내용을 효과적으로 드러낼 수 있는 방법으로 알맞게 표현하였는지 평가하는 유형

5 다음 제안하는 글에서 빈칸에 들어갈 표현으로 알맞은 것은? ·········· (　　　　)

> **물건에 가격표를 붙여 주세요**
>
> 　초등학생은 학교 앞의 문구점을 많이 이용합니다. 그런데 문구점에 있는 물건에 가격표가 붙어 있지 않을 때가 많습니다. 가격이 궁금할 때마다 얼마인지 여쭈어봐야 해서 불편합니다. ｜　　　　　　　　　　｜ 가격표가 있으면 살 물건을 쉽게 고를 수 있기 때문입니다.

① 문구점에서 물건에 가격표를 붙입니다.
② 문구점에서 물건에 가격표를 붙일까요?
③ 문구점에서 물건에 가격표를 붙일 수 있습니다.
④ 문구점에서 물건에 가격표를 붙이기 때문입니다.
⑤ 문구점에서 물건에 가격표를 붙였으면 좋겠습니다.

알맞은 표현 찾기

1 제안하는 내용 파악하기

물건에 가격표를 붙이자는 제안이 들어가야 함.

2 제안을 쓸 때 알맞은 표현 알아보기

• "합시다."
• "～하면 좋겠습니다."
• "～하면 어떨까요?"

6 마음을 전하는 쪽지를 쓸 때 다음 빈칸에 들어갈 표현으로 가장 알맞은 것은?
·········· (　　　　)

> 위층 이웃에게
> 　안녕하세요? 아래층에 살고 있는 사람입니다. 저희 집에는 몸이 편찮으신 할머니도 계신데, 늦은 밤에 위층으로부터 쿵쿵거리는 발소리가 심하게 나서 잠을 잘 못 주무세요. 이른 아침이나 늦은 밤에 위층으로부터 쿵쿵 소리가 많이 나서 너무 불편합니다. ｜　　　　　　　｜
> 　　　　　　　　　　　　　　　　　　　　　　　　아래층 이웃이

① 적당히 좀 합시다.
② 사람이 아니라 킹콩이 사는 줄 알았어요.
③ 같이 사는 아파트인데 자기만 생각하지 맙시다.
④ 똑같이 당해 봐야 얼마나 시끄러운지 아시겠어요?
⑤ 걸을 때 발소리를 조금만 줄여 주시면 고맙겠습니다.

글쓴이가 전하고자 하는 내용 파악하기

● 층간 소음으로 고통을 겪고 있으니 발소리를 줄여 달라는 내용입니다.

평가 영역

문법

● **영역별 문항 수:** 5~7문항 / 30문항

분류	평가 영역
문장 · 담화	• 문장을 구성하는 성분을 분석하고 그 기능을 이해하기 • 문장의 종류를 알고 적절히 활용하기 • 높임 표현을 사용하는 방법을 알고 알맞은 높임 표현 사용하기
발음 · 표기 · 규범	• 맞춤법에 맞게 쓰기 • 문장에 따라 알맞은 문장 부호를 사용하기 • 알맞게 띄어쓰기 • 국어사전에서 낱말 찾는 방법 알기

주요 평가 문법

맞춤법

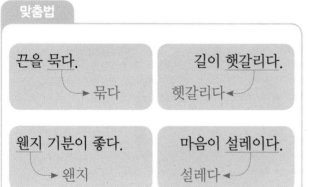

높임법

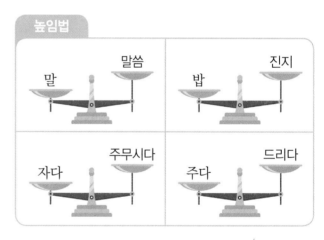

띄어쓰기

평가의 목적

문법 평가 영역은 국어 문법에 대한 기초 지식과 활용 능력을 평가하기 위한 영역입니다.

언어는 같은 언어를 사용하는 사람들 사이에서 일정한 규칙에 따라 만들어지고 쓰이게 되는데, 이러한 말의 규칙이 '문법'입니다. 국어 역시 발음(소리 내어 읽기), 표기(맞춤법), 구성(낱말이나 문장의 짜임) 등 국어 나름의 문법을 가지고 있습니다.

문법 평가 영역에서는 학년 수준에 맞는 국어 문법 지식을 가지고 있는지, 또 이를 국어 생활에 적절히 활용할 수 있는지 평가하게 됩니다. 초등 4학년 **문법** 평가 영역에서는 **맞춤법에 맞게 문장을 쓸 수 있는지, 문장에 알맞은 높임 표현을 사용할 수 있는지**를 주로 평가합니다.

대표 질문 유형

다음 문장을 맞춤법에 맞게 바르게 고쳐 쓴 것은?

다음 문장에서 띄어 써야 할 곳을 바르게 표시한 것은?

높임을 표현하는 방법이 나머지와 다른 하나는?

다음 낱말을 국어사전에 실리는 순서대로 나열한 것은?

다음 문장의 짜임과 같은 짜임의 문장은?

주요 평가 요소

맞춤법에 알맞은 낱말을 쓸 수 있는가?

문장의 짜임을 알고 있는가?

띄어쓰기의 원리를 알고 알맞게 띄어 쓸 수 있는가?

적절한 높임 표현을 사용할 수 있는가?

국어사전에서 낱말을 찾는 방법을 알고 있는가?

문장·담화

문장에 알맞은 높임 표현을 사용할 수 있는지와 같이 문장 수준의 문법 지식을 평가하는 유형

▶ 정답과 풀이 6쪽

1 ㉠~㉤에 들어갈 말로 알맞지 <u>않은</u> 것은? ·· (　　　)

> 큰아버지: 여보세요?
> 민주: 큰아버지, 안녕하세요? 저 민주 ㉠ .
> 큰아버지: 오, 그래. 민주구나. 잘 지냈지?
> 민주: 네, 할머니 ㉡ 드릴 ㉢ 이 있어서 전화했어요. 옆에 안 계세요?
> 큰아버지: 할머니는 사과가 잘 자라는지 보러 가셨어. 할머니께 무슨 말을 하려고 그러니?
> 민주: 아니에요. 나중에 다시 전화할게요. 할머니 ㉣ 말씀 전해 주세요.
> 큰아버지: 알았다. 저녁에 다시 전화해 보렴. 그때 계실 거야.
> 민주: 네, 알겠어요. 큰아버지, 안녕히 계세요. 나중에 ㉤ 사과 따는 것 ㉮도와주러 갈게요.
> 큰아버지: 그래, 민주도 잘 있어라. 나중에 보자꾸나.

① ㉠ 예요
② ㉡ 께
③ ㉢ 말
④ ㉣ 오시면
⑤ ㉤ 저도

높임 표현 사용하기

● 높임을 표현하는 방법
· '-습니다'나 '-요'를 써서 문장을 끝맺는다.
· 높임을 나타내는 '-시-'를 넣는다.
· 높임의 대상에게 '께서'나 '께'를 사용한다.
· 높임의 뜻이 있는 특별한 낱말을 사용한다.

2 문제 1 의 대화 에서 ㉮를 다음 **높임 표현 사용 방법**에 맞게 고쳐 쓴 것은?
·· (　　　)

> 높임의 뜻이 있는 낱말을 사용한다.

① 도와주러 갈게.
② 도와주시러 갈게요.
③ 도와주러 가실게요.
④ 도와드리러 갈게요.
⑤ 도와드리러 가실게요.

높임 표현 고쳐 쓰기

● 높임 표현을 사용할 때 주의할 점: 상대를 높이는 표현으로 고쳐 쓸 때 나 자신을 높이지 않도록 주의해야 합니다.

3 다음 글을 읽으면서 ㉠~㉤의 뜻을 알고 싶을 때 **국어사전에서 찾아보아야 할 낱말로 알맞지 않은 것은?** ·················· (   )

> 육식 동물인 악어는 사람을 ㉠해치는 것은 물론이고 짐승이나 물고기들을 닥치는대로 ㉡먹어 치운다. 심지어는 악어도 ㉢잡아먹는다. 악어가 먹이를 ㉣잡을 때에는 물속에서 바위처럼 ㉤위장하고 있다가 먹이가 나타나면 번개처럼 낚아챈다. 악어의 이빨은 아주 날카롭고 악어는 한 번 잡은 먹이는 놓치지 않는다.

① ㉠ 해치다

② ㉡ 먹다

③ ㉢ 잡아먹는다

④ ㉣ 잡다

⑤ ㉤ 위장하다

국어사전에서 낱말 찾기

1 국어사전에서 낱말을 찾는 방법
- 모양이 바뀌는 낱말은 낱말의 기본형으로 찾습니다.
- 낱말의 기본형: 낱말에서 변하지 않는 부분에 '–다'를 붙임.

2 낱말이 변하는 모습 살펴보기
- ㉠: 해치고, 해치며 등
- ㉡: 먹고, 먹지 등
- ㉢: 잡아먹고, 잡아먹는 등
- ㉣: 잡는, 잡지 등
- ㉤: 위장하지, 위장하는 등

4 다음 문장에 대한 설명으로 알맞은 것은? ·················· (   )

> 혜정이가 바로 제 친구입니다.

① '혜정이가'는 '무엇이'에 해당한다.

② 이 문장은 '누가＋어떠하다'에 해당한다.

③ 이 문장은 '무엇이＋무엇이다'에 해당한다.

④ '바로 제 친구입니다.'가 '무엇이다'에 해당한다.

⑤ 이 문장은 '우리 반 예지는 항상 친절합니다.'와 짜임이 같다.

문장의 짜임 알아보기

- **누가 + 무엇이다**
  예 내 동생은 일곱살이다.

- **누가 + 어떠하다**
  예 내 동생은 키가 크다.

- **누가 + 어찌하다**
  예 내 동생이 운다.

- **무엇이 + 무엇이다**
  예 내 선물은 축구공이다.

- **무엇이 + 어떠하다**
  예 축구공이 동그랗다.

- **무엇이 + 어찌하다**
  예 축구공이 굴러간다.

5 다음 대화에서 ㉠에 들어갈 낱말로 알맞은 것은? ·················· (   )

> 지수: 두 개의 낱말을 합쳐서 만든 낱말이 있다는 것 알고 있니?
> 미진: 그런 낱말에는 뭐가 있을까?
> 지수: 예를 들어, '밀가루'는 '밀'과 '가루'를 합쳐서 만든 낱말이야.
> 미진: 그럼 (㉠)도 '밀가루'처럼 만들어진 낱말이구나.

① 김밥
② 씨앗
③ 진달래
④ 고구마
⑤ 라디오

낱말의 짜임 알기

1 문제 파악하기

두 개의 낱말을 합쳐서 만든 낱말을 찾는 문제

2 헷갈리는 보기 추려 내기

낱말을 두 부분으로 나누어 '밀+가루'와 같은 형식으로 만들어 보면 알 수 있습니다.

6 다음 밑줄 그은 낱말을 소리 나는 대로 읽지 못한 것은? ·········· (   )

① 밥 먹을 시간입니다.
  → [머글]
② 나는 내 짝이 좋아요.
  → [조하요]
③ 짐이 많아서 너무 무거워.
  → [마나서]
④ 물건을 조심히 내려놓아라.
  → [내려노아라]
⑤ 먼저 찾은 사람이 누구일까?
  → [차즌]

받침 발음하기

● 받침 다음에 모음이 이어질 때: 받침소리를 그대로 연결하여 발음합니다.
● 받침 'ㅎ' 다음에 모음이 이어질 때: 받침이 소리나지 않습니다.

7 다음 중 띄어쓰기를 바르게 한 문장은? ·························· (   )

① 아는 것이 힘입니다.
② 제게 마실것 좀 주세요.
③ 그 일은 저만 할수있어요.
④ 하다 보면 그럴수도 있지.
⑤ 정민이는 하는수없이 터벅터벅 집에 돌아왔어요.

띄어쓰기 방법 알아보기

● '것', '수', '줄'은 앞에 오는 다른 낱말과 함께 써야 하고, 쓸 때에는 띄어 써야 합니다.

●● **영역별 문항 수:** 5~7문항 / 30문항

분류	평가 영역
지식	• 작품에 나타난 비유적 표현 알기 • 갈래별 특성과 구성 요소 알기 • 이야기의 전개 과정을 파악하기
수용과 생산	• 인물과 사건의 관계 파악하기 • 인물의 말이나 행동의 까닭 짐작하기 • 인물의 성격 파악하기 • 작품에 대한 생각과 느낌 비교하기 • 이어질 내용 상상하기

문학 작품의 특성

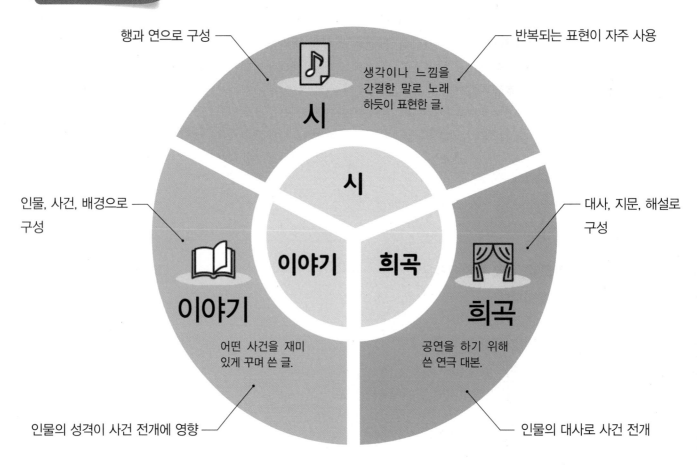

행과 연으로 구성

반복되는 표현이 자주 사용

생각이나 느낌을 간결한 말로 노래하듯이 표현한 글.

시

시

인물, 사건, 배경으로 구성

대사, 지문, 해설로 구성

이야기

희곡

이야기

희곡

어떤 사건을 재미있게 꾸며 쓴 글.

공연을 하기 위해 쓴 연극 대본.

인물의 성격이 사건 전개에 영향

인물의 대사로 사건 전개

문학 평가 영역은 시, 이야기, 희곡과 같은 다양한 문학 작품을 장르의 특성에 맞게 읽고 감상할 수 있는지 평가하기 위한 영역입니다.

문학 작품을 감상한다는 것은 정보의 습득을 목적으로 하는 읽기와는 달리, 읽는 이의 생각과 가치에 따라 작품의 의미를 보다 폭넓게 이해하고 작품이 주는 분위기와 정서를 마음에 받아들이는 활동입니다.

문학 평가 영역에서는 작품의 종류에 따라 작품을 감상하는 방법을 이해하고 작품이 주는 감동을 적절하게 수용할 수 있는지를 평가하게 됩니다. 특히 초등 4학년 문학 평가 영역에서는 **시적 표현의 의미를 이해할 수 있는지, 이야기의 구성 요소를 파악하고 인물과 사건의 관계를 이해할 수 있는지**를 주로 평가합니다.

대표 질문 유형

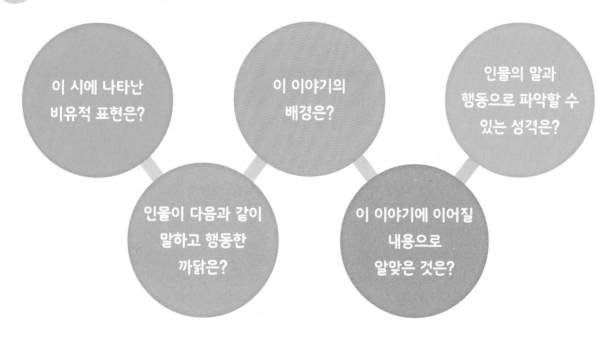

주요 평가 요소

| 작품에 나타난 표현의 특성을 이해할 수 있는가? | 갈래의 특성에 따른 구성 요소를 알고 있는가? | 작품의 주요 내용을 파악할 수 있는가? | 작품의 내용을 맥락과 관련지어 이해할 수 있는가? | 작품에 대한 생각이나 느낌을 표현할 수 있는가? |

지식

문학 작품의 갈래 특성이나 사용된 표현 방법, 구성 요소 등을 파악할 수 있는지 평가하는 유형

1 다음 이야기에서 **갈등이 일어나게 된 까닭은?** ·········· ( )

어느 날 아침, 사라는 버스 앞쪽 자리가 얼마나 좋은 곳인지 알아보기로 마음먹었습니다. 사라는 자리에서 일어나 좁은 통로로 걸어 나갔습니다. 별다른 것도 없어 보였습니다. 창문은 똑같이 지저분했고, 버스의 시끄러운 소리도 똑같았습니다. 앞쪽 자리가 뭐가 그리 대단하다는 것일까요?

한 백인 아주머니께서 물으셨습니다.

"왜 그리 두리번거리니, 꼬마야?"

"뭐 특별한 게 있는지 알아보고 싶어서요."

아주머니께서 말씀하셨습니다.

"네 자리로 돌아가는 게 좋겠구나."

모두가 사라를 쳐다보았습니다. 사라는 계속 나아갔습니다. 앞쪽 끝까지 가서 운전사 옆자리에 앉았습니다. 사라는 운전사가 기어를 바꾸고 두 손으로 커다란 핸들을 돌리는 것을 지켜보았습니다. 운전사가 성난 얼굴로 사라를 쏘아보았습니다.

"꼬마 아가씨, 뒤로 가서 앉아라. 너도 알다시피 늘 그래 왔잖니?"

사라는 그래도 앉은 채 마음속으로 말했습니다.

'뒷자리로 돌아갈 아무런 이유가 없어!'

운전사는 뭐라고 중얼거리더니 브레이크를 밟았습니다. 버스가 '끼익' 소리를 내며 갑자기 멈춰 섰습니다.

"규칙을 따르지 못하겠다면 이제부터는 걸어가거라."

「사라, 버스를 타다」 윌리엄 밀러 글, 박찬석 옮김

① 사라가 버스 뒷자리에 앉았다.

② 사라가 버스 앞쪽 자리에 앉았다.

③ 사라가 버스 안에서 시끄럽게 대화했다.

④ 사라가 버스 운전사가 운전하는 것을 방해했다.

⑤ 사라가 아주머니에게 뒷자리에 가서 앉으라고 말했다.

이야기의 구성 요소 파악하기

1 '갈등'에 대해 알기

• 갈등: 인물 사이의 생각이나 마음이 서로 달라 맞서는 상황

2 시대적 배경 알기

백인과 흑인의 차별이 있던 시대로, 흑인은 버스 뒷자리에만 앉을 수 있었습니다.

3 이야기의 내용 파악하기

사라가 버스 앞자리에 앉음.
↓
백인 아주머니와 운전사가 뒷자리로 가라고 함.
↓
운전사가 사라에게 버스에서 내리라고 함.

2 문제 **1**의 이야기 에서 배경을 알 수 있는 말로 짝지어진 것은? ··· ( )

① 어느 날 아침, 버스 ② 사라, 백인 아주머니

③ 커다란 핸들, 브레이크 ④ '끼익' 소리, 성난 얼굴

⑤ 마음먹었습니다, 말했습니다

'배경' 알아보기

● 시간적 배경: 이야기에서 일이 벌어지는 시간. '언제'에 해당하는 것.

● 공간적 배경: 이야기에서 일이 일어나는 장소. '어디에서'에 해당하는 것.

수용과 생산

문학 작품을 읽고 비판적·창의적으로 감상하고 표현할 수 있는지, 작품에 대한 여러 사람의 생각과 느낌을 비교할 수 있는지 평가하는 유형

3 다음 이야기에서 '나'의 성격으로 알맞지 <u>않은</u> 것은? ⋯⋯⋯⋯⋯⋯ (   )

인물의 성격 파악하기

1 '나'가 처한 상황 파악하기

아파서 죽어 가는 새끼 고양이를 보고 미나에게 찾아가서 미나가 고양이를 구하러 가 주기를 바라는 상황

㉮ "미나야."

죽어 가는 새끼 고양이의 이야기를 하는데, 콧등이 시큰하며 눈물이 핑 돌았습니다.

"그래서?"

미나는 나를 빤히 쳐다보았습니다. 미나라면 당장 새끼 고양이를 데리러 가자고 할 줄 알았습니다. 그런데 미나는 '그래서 뭐 어쨌다고?' 하는 표정이었습니다.

화가 나서 나도 모르게 목소리가 날카로워졌습니다.

"너는 새끼 고양이가 불쌍하지도 않니?"

"그렇게 새끼 고양이가 불쌍하면 네가 데려다 주면 되잖아? 네 돈으로 치료해 주고, 네가 데려다 길러."

미나는 뾰로통하여 가시처럼 톡 쏘아붙였습니다.

㉯ "왜 그래?"

풀 죽은 내 얼굴을 보고 언니가 물었습니다. 나는 고개를 저었습니다. 아무 말도 하고 싶지 않았습니다. 방으로 들어왔습니다. 그런데 이상한 일이었습니다. 자꾸만 새끼 고양이 울음소리가 나를 따라다니는 것이었습니다. 욕실로 가면 욕실로, 주방으로 가면 주방으로, 자꾸만 고양이는 따라다니며 "아야, 아야." 울어 대는 것이었습니다.

「고양이야, 미안해」 원유순

2 '나'의 말이나 행동 살펴보기

• 미나에게 새끼 고양이 이야기를 함.
• 새끼 고양이를 직접 데리고 오지 않음.
• 계속 새끼 고양이 걱정을 함.

① 소심하다.　　　　② 소극적이다.
③ 걱정이 많다.　　　④ 실천력이 있다.
⑤ 동정심이 많다.

4 (문제 **3**의 이야기)에서 ㉯에 이어질 내용으로 가장 알맞은 것은? (   )
① 언니가 '나'에게 미안하다고 사과를 한다.
② 미나는 아무 말도 하지 않는 '나'에게 화를 낸다.
③ '나'는 새끼 고양이가 걱정되어 다시 데리러 간다.
④ 새끼 고양이가 죽은 채 다른 사람들에게 발견된다.
⑤ '나'는 고양이를 데려다 주지 않은 언니에게 화를 낸다.

사건의 흐름 짐작하기

◉ 글의 내용 파악하기: 글 ㉯에서 새끼 고양이 울음소리가 '나'를 따라다닌다고 표현한 것은 '나'가 새끼 고양이에게 신경을 쓰고 있다는 의미입니다.

평가 영역

어휘

영역별 문항 수: 3~4문항 / 30문항

분류	평가 영역
개념	• 기본적인 낱말의 뜻을 알고 적절히 사용하기 • 흉내 내는 말, 꾸며 주는 말 등을 적절히 사용하기
관계	• 유의 관계, 반의 관계의 낱말 찾기 • 포함 관계의 개념을 알고 포함 관계의 낱말 찾기
의미 · 확장	• 어휘의 의미 추론하기 • 표현하고자 하는 문맥에 알맞은 어휘 사용하기 • 같은 방법으로 만들어진 낱말 찾기 • 상황에 맞는 속담, 관용구 찾기

여러 가지 어휘 관계

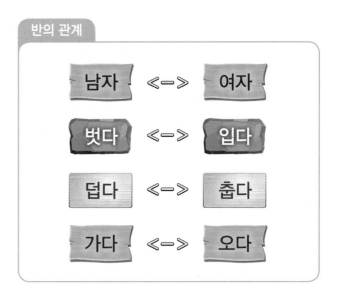

📖 평가의 목적

어휘 평가 영역은 우리말의 기초가 되는 국어 낱말의 이해·활용 능력을 평가하기 위한 영역입니다. 어휘는 듣기, 말하기, 읽기, 쓰기 등 모든 국어 활동의 바탕입니다. 일상에서 반복적으로 사용하며 저절로 습득하게 되는 어휘와 읽기를 통해 지식적으로 배우게 되는 어휘가 어휘력의 기초를 이룹니다.

어휘 평가 영역에서는 이러한 어휘의 의미를 어휘의 관계 속에서 정확하게 이해하고 구사할 수 있는지 평가하게 됩니다. 특히 초등 4학년 어휘 영역에서는 **동형어와 다의어의 개념을 이해하고 구분할 수 있는지, 문맥을 고려하여 어휘의 의미를 짐작하고 이를 적절하게 사용할 수 있는지**를 주로 평가합니다.

📖 대표 질문 유형

다음 문장의 밑줄 그은 부분을 대신할 수 있는 말은?

| 보기 |와 같은 관계로 묶을 수 있는 낱말끼리 짝지은 것은?

다음 문장에서 밑줄 그은 낱말의 쓰임이 적절하지 않은 것은?

다음 글에서 글쓴이의 생각을 잘 드러내는 말이나 속담은?

다음 상황에 알맞은 관용 표현은?

📖 주요 평가 요소

낱말의 뜻을 알고 알맞게 쓸 수 있는가?

여러 가지 낱말의 관계를 이해하고 있는가?

의도에 알맞은 낱말을 사용할 수 있는가?

낱말의 여러 의미를 구분할 수 있는가?

적절한 관용 표현과 속담을 활용할 수 있는가?

개념

기본적인 낱말의 의미를 알고, 흉내 내는 말이나 꾸며 주는 말 등을 문장에 알맞게 사용할 수 있는지 평가하는 유형

1 다음 글에서 **어려운 낱말을 쉬운 낱말로** 바꾸어 쓴 것으로 알맞지 **않은** 것은?

(　　)

낱말의 뜻을 파악하여 쉬운 어휘로 표현하기

● 낱말의 뜻을 파악하는 방법
① 글의 앞뒤 문맥을 통해 뜻을 짐작해 봅니다.
② 국어사전을 통해 낱말의 정확한 뜻을 알 수 있습니다.
③ 비슷한 뜻의 낱말을 넣어 문장이 자연스러운지 확인합니다.

　　우리의 문화유산 가운데에는 세계 유명 문화재와 비교하여도 결코 뒤처지지 않는 것이 많다. 예를 들어, 경주의 '석굴암'은 현대의 과학 기술로도 만들기 어려운 뛰어난 건축 공법으로 유명하다. 불상의 형태, 천장의 모양, 습기를 자연적으로 해결한 원리도 중요한 가치가 있다. 다음으로 '수원 화성'은 조선 시대 정조 임금 때에 ㉠축조한 것으로, 거중기를 이용하는 등의 과학적 ㉡축성 방법을 활용하였다는 점이 ㉢특기할 만하다. 거중기, 녹로 등의 새로운 기계를 개발하여 큰 돌을 옮겼으며, 그로 인하여 공사 기간을 상당히 ㉣단축할 수 있었다.
　　또, 『직지심체요절』은 금속 활자로 인쇄한 책 가운데에서 세계에서 가장 오래된 것이다. 현재 프랑스 파리의 국립도서관에 소장되어 있는 『직지심체요절』을 통하여 고려의 인쇄술 수준을 짐작할 수 있다.
　　문화유산이 소중한 까닭은 그 속에 겨레의 고유한 얼과 혼이 담겨 있기 때문이다. 우리 조상이 남긴 소중한 문화유산을 깊이 있게 이해하고 잘 보존하고 ㉤계승하는 것이 무엇보다 중요하다.

① ㉠ 축조한 → 쌓아서 만든
② ㉡ 축성 방법 → 성을 쌓는 방법
③ ㉢ 특기할 → 잊어도 될
④ ㉣ 단축할 → 줄일
⑤ ㉤ 계승하는 → 이어 나가는

2 다음 문장의 빈칸에 들어갈 **흉내 내는 말**로 알맞지 **않은** 것은? ┄┄ (　　)

알맞은 흉내 내는 말 찾기

● 빈칸에는 힘없이 주저앉는 소리나 모양을 흉내 내는 말이 들어가는 것이 알맞습니다.

지갑을 잃어버린 것을 알고 그 자리에 [　　　　　] 주저앉았습니다.

① 털썩
② 철퍽
③ 풀썩
④ 찰랑
⑤ 철퍼덕

관계

낱말의 유의 관계, 반의 관계, 포함 관계를 구분하고 해당하는 관계의 낱말을 찾을 수 있는지 평가하는 유형

3 낱말의 관계를 다음과 같이 나타냈을 때 ☐☐에 들어갈 낱말로 알맞은 것은?

( )

낱말의 관계 파악하기

● 포함하는 낱말과 포함되는 낱말의 관계 중 나머지 낱말을 포함하는 낱말을 찾아야 함.

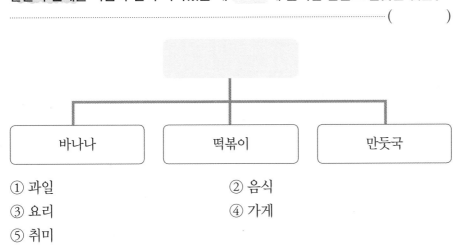

바나나　　떡볶이　　만둣국

① 과일　　　　　② 음식
③ 요리　　　　　④ 가게
⑤ 취미

4 낱말의 관계가 다음 글에 쓰인 ㉠－㉡의 관계와 같은 것은? ·········· ( )

같은 낱말 관계 찾기

● 열다 – 닫다
● 올라가다 – 내려가다
● 낮 – 밤

　　미래에 참고하기 위해 어떤 사실을 적은 문서를 '기록'이라고 부른다. 기록은 ㉠개인이나 ㉡단체가 각종 정보를 전달하기 위해 생산된다. 단체뿐 아니라 개인이 생산한 기록도 가치가 있는데 그것은 그 사람이 기록을 남길 당시의 사회적인 모습을 추정해 볼 수 있는 자료가 되기 때문이다.

① 경계 – 단속　　　② 동의 – 찬성
③ 무도 – 검도　　　④ 승낙 – 거절
⑤ 악기 – 기구

의미 · 확장

어휘의 여러 가지 의미를 짐작하거나 상황에 맞는 관용어, 속담 등을 활용할 수 있는지 평가하는 유형

5 다음 빈칸에 **모두 들어갈 낱말**로 알맞은 것은? ⋯⋯⋯⋯⋯ (　　　)

> • 미숫가루를 우유에 [　　　　　].
> • 나무가 불에 활활 [　　　　　].
> • 동생과 함께 공원에서 자전거를 [　　　　　].

① 타다　　　　　　② 넣다
③ 먹다　　　　　　④ 끓다
⑤ 차다

낱말의 여러 가지 뜻 파악하기

● 액체에 무엇을 섞다.
● 불꽃이 일어나다.
● 탈것에 몸을 얹다.

6 다음 뜻을 가진 **관용 표현**은? ⋯⋯⋯⋯⋯ (　　　)

> 몹시 놀라다.

① 입이 무겁다.　　　② 코가 빠지다.
③ 얼굴이 뜨겁다.　　④ 귀가 솔깃하다.
⑤ 눈이 동그래지다.

관용 표현 알아보기

● **관용 표현**: 둘 이상의 낱말이 합쳐져 원래의 뜻과는 다른 새로운 뜻으로 굳어져서 쓰이는 표현입니다.

7 다음 대화에서 빈칸에 들어갈 **속담**으로 가장 알맞은 것은? ⋯⋯⋯ (　　　)

> 재명: 소진아, 제주도에 다녀왔다며? 재미있었어?
> 소진: 제주도에 다녀온 것 말이야? 아까 민진이에게만 말했는데 넌 어떻게 알았어? 정말 [　　　　　　　　].

① 백지장도 맞들면 낫구나.
② 소 잃고 외양간 고치는구나.
③ 발 없는 말이 천 리 가는구나.
④ 낫 놓고 기역 자도 모르는구나.
⑤ 돌다리도 두들겨 보고 건너야 하는구나.

상황에 알맞은 속담 활용하기

● 소진이가 민진이에게만 했던 말이 금세 퍼진 상황에 알맞은 속담을 찾아봅니다.

HME 국어 학력평가

실전 모의고사

- ⟨HME 국어 학력평가⟩ 평가 영역 완벽 분석
- ⟨HME 국어 학력평가⟩ 대표 유형 중심 반영
- ⟨HME 국어 학력평가⟩ 다양한 출제 유형 제시

1 회

2 회

3 회

4 회

실전 모의고사 1회

점수

01 다음 일기 예보를 듣고 | 보기 | 와 같이 간추려 썼을 때 빈칸에 들어갈 내용으로 알맞은 것은?

(   )

안녕하십니까? 날씨 정보입니다. 저는 지금 봄꽃이 가득한 공원에 나와 있습니다. 날씨가 따뜻해지면서 공원에는 나들이를 나온 시민들이 많아졌습니다. 활짝 핀 벚꽃이 성큼 다가온 봄을 느끼게 해 줍니다. 오늘 하루는 전국적으로 맑은 날씨가 되겠습니다. 서울, 춘천은 19도, 강릉, 청주, 전주 등은 20도까지 낮 기온이 올라가겠습니다. 일요일에도 산책하기 좋은 날씨가 되겠습니다. 서울, 춘천은 20도, 청주와 진주 등은 21도의 따뜻한 날씨가 예상됩니다. 하지만 아침저녁으로는 5도에서 6도의 쌀쌀한 날씨가 예상됩니다. 기온 차가 크니 감기에 걸리지 않도록 조심하세요.

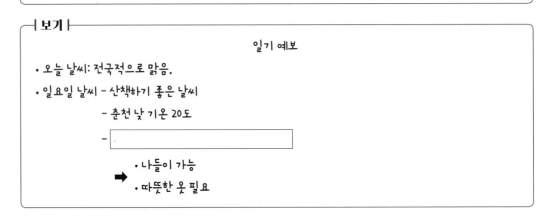

┤ 보기 ├

일기 예보

• 오늘 날씨: 전국적으로 맑음.
• 일요일 날씨 – 산책하기 좋은 날씨
     – 춘천 낮 기온 20도
     – [   ]
    ➡️ • 나들이 가능
        • 따뜻한 옷 필요

① 가끔씩 소나기
② 세찬 바람이 붊.
③ 청주 낮 기온 20도
④ 아침저녁으로 따뜻한 날씨
⑤ 낮과 아침저녁의 기온 차가 큼.

[02~03] 다음 대화 장면을 보고 물음에 답하시오.

옛날, 어느 마을에 고기 파는 일을 하던 '박바우'라는 노인이 있었다. 어느 날, 젊은 양반 두 사람이 거의 같은 시간에 고기를 사러 왔다. 윗마을 양반은 박 노인에게 이렇게 말했다.

윗마을 양반: 바우야, 쇠고기 한 근만 줘라.
박 노인: 알겠습니다.
아랫마을 양반: 박 서방, 쇠고기 한 근만 주게.
박 노인: 아이고, 네, 조금만 기다리시지요. 여기 있습니다.
윗마을 양반: 야, 바우야! 똑같은 한 근을 달라고 했는데, 어째서 저 양반에게 더 좋은 고기를 더 많이 주느냐?
박 노인: 그러니까 손님 것은 바우 놈이 자른 것이고, 이분 것은 박 서방이 자른 것이기 때문이랍니다.

02 이 대화 장면을 보고 알맞게 말한 것은? ──────────────────── (   )
① 박 노인이 두 양반보다 지위가 더 높았다.
② 두 양반은 박 노인을 서로 다르게 대했다.
③ 윗마을 양반은 박 노인을 '박 서방'이라고 불렀다.
④ 아랫마을 양반이 윗마을 양반보다 박 노인과 더 친했다.
⑤ 윗마을 양반과 아랫마을 양반은 서로 다른 사람에게 고기를 샀다.

03 박 노인이 두 양반에게 고기를 서로 다르게 준 까닭은? ──────────── (   )
① 두 양반이 나이가 달랐기 때문이다.
② 아랫마을 양반이 돈을 더 많이 주었기 때문이다.
③ 두 양반이 주문한 고기의 부위가 달랐기 때문이다.
④ 박 노인이 두 양반의 말을 잘못 이해했기 때문이다.
⑤ 아랫마을 양반이 자신을 더 존중하며 말했기 때문이다.

[04~05] 다음 글을 읽고 물음에 답하시오.

> 지난 방학 때 나는 가족과 함께 독도를 다녀왔다. 평소에 독도에 관심이 많아 독도에 대한 책도 읽고 사진도 여러 장 찾아보았다. 그런데 마침 아버지께서 독도를 다녀오자고 하셨다. 책이나 인터넷에서만 보던 독도를 직접 가 보는 것이 좋겠다고 생각했다.
>
> 우리는 울릉도에 가서 다시 독도로 가는 배를 탔다. 넓고 푸른 바다가 펼쳐졌다. 배에 탄 지 한참을 지나 독도에 도착했다. 배에서 내려 독도에 발을 내딛는 순간 이상하게 가슴이 떨렸다. 수많은 괭이갈매기가 우리를 반겨 주었다.
>
> 독도에는 괭이갈매기뿐만 아니라 슴새, 바다제비 같은 텃새도 산다고 한다. 또 멧도요, 물수리, 노랑지빠귀 들은 독도를 휴식처로 삼아 철마다 머물다 간다고 한다. 책에서만 보던 슴새나 바다제비를 직접 보니 신기하기만 했다.
>
> 독도는 화산섬이라서 식물이 잘 자라기 힘든 곳이다. 이러한 자연환경에서도 번행초, 괭이밥, 쇠비름 같은 풀이 잘 자란다고 한다.
>
> 독도에서 동해를 바라보니 가슴이 탁 트이는 것 같았다. 우리나라 동쪽 끝 섬인 독도를 아끼고 독도에 관심을 가져야겠다고 생각했다. 아름답고 생명력 넘치는 독도가 우리 땅이라는 것이 아주 자랑스러웠다.

04 이 글의 내용으로 알맞은 것은? ⋯⋯⋯⋯⋯⋯⋯⋯⋯⋯⋯⋯⋯⋯⋯ ( )

① 독도에 다녀온 일
② 독도가 우리 땅인 까닭
③ 독도에 살고 있는 사람
④ 독도의 날을 제정한 까닭
⑤ 독도를 지키기 위해서 해야 할 일

05 이 글의 내용을 사실과 의견으로 구별할 때 나머지와 <u>다른</u> 하나는? ⋯⋯⋯⋯ ( )

① 아버지께서 독도를 다녀오자고 하셨다.
② 배에 탄 지 한참을 지나 독도에 도착했다.
③ 우리는 울릉도에 가서 다시 독도로 가는 배를 탔다.
④ 독도에서 동해를 바라보니 가슴이 탁 트이는 것 같았다.
⑤ 독도에는 괭이갈매기뿐만 아니라 슴새, 바다제비 같은 텃새도 산다고 한다.

다음 글과 | 자료 |를 참고하여 ㉠과 ㉡에 들어갈 말을 알맞게 짝지은 것은? ·············· (   )

㈎ 공정 무역이란 생산자의 노동에 정당한 대가를 지불해 생산자가 경제적 자립과 발전을 하도록 돕는 무역입니다. ○○광역시는 공정 무역 상품을 사용하고 공정 무역을 확산하려는 활동을 지원해 실질적인 변화를 만들어 내는 도시가 되었습니다. 우리도 공정 무역 제품을 사용해 이러한 변화에 동참해야 합니다.

㈏ 공정 무역 제품을 사용해야 하는 까닭은 다음과 같습니다. 첫째, 공정 무역은 생산자에게 돌아갈 정당한 이익을 지켜 줍니다. 흔히 볼 수 있는 과일 가운데 하나인 바나나의 경우, 우리가 3천 원짜리 바나나 한 송이를 산다면 약 45원만이 생산자인 농민에게 이익으로 돌아갑니다. 그 까닭은 바나나 생산국에서 우리 손에 오기까지 바나나 농장 주인, 수출하는 회사, 수입하는 회사, 슈퍼마켓 등이 총수익의 98.5퍼센트를 가져가기 때문입니다. 공정 무역에서는 생산자 조합과 공정 무역 회사를 만들어 이러한 ┃ ㉠ ┃ 실제로 바나나를 재배하는 ┃ ㉡ ┃을 보장해 주었습니다.

┤ 자료 ├

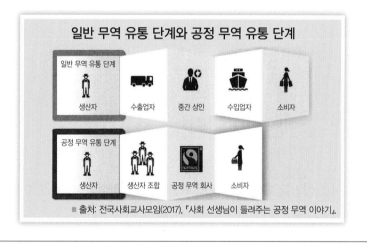

일반 무역 유통 단계와 공정 무역 유통 단계

■ 출처: 전국사회교사모임(2017), 『사회 선생님이 들려주는 공정 무역 이야기』.

	㉠	㉡
①	중간 유통 단계를 줄이고	판매자의 이익
②	중간 유통 단계를 줄이고	생산자의 이익
③	중간 유통 단계를 늘리고	판매자의 이익
④	중간 유통 단계를 늘리고	생산자의 이익
⑤	중간 유통 단계를 없애고	판매자의 이익

[07~08] 다음 바람직한 독서 방법에 대한 글을 읽고 물음에 답하시오.

바람직한 독서 방법은 도서관의 편의 시설을 늘리는 것입니다. 휴게실을 많이 만들면 편안히 쉴 수 있습니다. 체육관이 생기면 운동을 자주 할 수 있습니다. 컴퓨터를 많이 설치하면 인터넷을 쉽게 이용할 수 있습니다. 이와 같이 올바른 독서 방법은 도서관의 편의 시설을 늘리는 것입니다.

07 글쓴이가 말한 바람직한 독서 방법은? ·· (   )

① 도서관에 자주 가는 것이다.
② 아침 일찍 책을 읽는 것이다.
③ 다양한 종류의 책을 읽는 것이다.
④ 도서관의 편의 시설을 늘리는 것이다.
⑤ 독서 계획을 세워서 계획에 따라 책을 읽는 것이다.

08 바람직한 독서 방법에 대한 글쓴이의 의견을 읽고 적절성을 판단하여 알맞게 말한 사람은?
·· (   )

① 민철: 컴퓨터를 많이 설치하면 인터넷을 쉽게 이용할 수 있기 때문에 글쓴이의 의견은 적절해.
② 병욱: 휴게실을 많이 만든다고 편안히 쉴 수 있는 것은 아니기 때문에 글쓴이의 의견은 적절하지 않아.
③ 태진: 휴게실과 체육관을 만드는 것은 바람직한 독서 방법과 관련이 있기 때문에 글쓴이의 의견은 적절해.
④ 예원: 체육관이 생기면 운동을 자주 할 수 있고, 운동을 자주 하면 독서를 자주 할 수 있기 때문에 글쓴이의 의견은 적절해.
⑤ 은지: 바람직한 독서 방법은 책을 읽는 방법이나 태도와 관련된 것이어야 하기 때문에 글쓴이의 의견은 적절하지 않아.

사람들은 텔레비전을 흔히 바보상자라고 합니다. 이는 텔레비전이 시청자에게 일방적으로 내용을 전달하고, 시청자가 그 내용을 생각하고 판단할 여유를 주지 않기 때문입니다. 그러나 텔레비전 시청이 무조건 나쁜 것만은 아닙니다. 텔레비전을 잘 활용하면 많은 것을 얻을 수 있습니다.

첫째, 교육 방송 프로그램으로 부족한 공부를 하거나 더 알고 싶은 내용을 배울 수 있습니다. 특히, 기술의 발달로 보고 싶은 내용을 선택하여 시청할 수 있어 텔레비전의 교육적 가치는 더욱 커졌습니다.

둘째, 뉴스와 같은 프로그램을 통하여 다양한 정보를 얻을 수 있습니다. 우리 주변의 소식은 물론이고 일상생활에 필요한 일기 예보나 음식이 맛있는 식당, 아름다운 여행지 등에 대한 정보를 얻을 수 있습니다.

셋째, 오락 방송 프로그램을 보면서 여가 시간을 잘 보낼 수 있습니다. 가족과 함께 오락 방송을 보면서 웃고 이야기하며 즐거운 시간을 보낼 수도 있습니다.

따라서, 텔레비전을 잘 활용하면 많은 것을 얻을 수 있습니다.

09 이 글의 내용으로 알맞은 것은? ··· (   )

① 텔레비전 시청의 장점
② 텔레비전 시청의 단점
③ 텔레비전의 발전 과정
④ 텔레비전을 만든 사람
⑤ 텔레비전을 시청하는 올바른 태도

10 위 글에서 l 보기 l와 같은 기술의 발달로 달라진 점이라고 한 것은? ···················· (   )

┤ 보기 ├

IPTV는 비디오를 비롯한 방송 콘텐츠를 제공한다는 점에서는 기존의 일반 케이블방송이나 위성방송과 별다른 차이점이 없지만, 양방향성이 추가된다는 점이 큰 특징이다. 일반 공중파 방송이나 케이블방송 또는 위성방송과는 달리 시청자가 자신이 편리한 시간에 자신이 보고 싶은 프로그램을 골라서 볼 수 있다.

① 텔레비전의 크기가 커졌다.
② 교사들의 수준이 높아졌다.
③ 학생들의 학습 시간이 증가했다.
④ 텔레비전의 교육적 가치가 커졌다.
⑤ 텔레비전 평균 시청 시간이 줄어들었다.

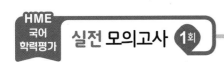

11 다음 독서 감상문을 읽고 l 보기 l와 같이 내용을 정리할 때 빈칸에 들어갈 내용으로 알맞은 것은? ·· (   )

> 학교에서 자신의 꿈이 무엇인지 발표했다. 나연이가 『꿈의 다이어리』라는 책을 읽고, 자신도 꿈에 대해 깊이 생각해 볼 수 있었다며 이 책을 적극 추천했다.
>
> 이 책의 주인공인 하은이는 꿈이 많은 아이다. 가수, 우주 비행사, 요리사와 같이 날마다 꿈이 바뀐다. 하지만 하은이는 꿈의 다이어리를 받고 난 뒤, 꿈을 이루려면 노력해야 한다는 사실을 깨닫게 된다.
>
> 나는 사실 내 꿈이 무엇인지 모른다. 예전에는 과학자였지만 지금은 연예인이 되고 싶기도 하다. 하은이처럼 내 꿈은 계속 바뀌고 나는 한 번도 꿈에 대해 진지하게 생각한 적이 없다.
>
> 하지만 이 책을 읽고 꿈은 내가 살아가면서 목표를 두고 노력해야 하는 것이라는 사실을 깨달았다. 앞으로는 내가 좋아하고 즐길 수 있는 것을 발견해서 그것을 이루려고 더 노력해야겠다.

| 보기 |

책 제목	『꿈의 다이어리』
책을 읽은 동기	
책 내용	날마다 꿈이 바뀌는 주인공 하은이가 꿈의 다이어리를 받고 난 뒤 꿈을 이루려면 노력해야 한다는 사실을 깨닫는다.
깨달은 점	꿈은 내가 살아가면서 목표를 두고 노력해야 하는 것이다.
앞으로의 다짐	내가 좋아하고 즐길 수 있는 것을 발견해서 그것을 이루려고 더 노력해야겠다.

① 친구가 추천해서
② 도서관에서 표지가 마음에 들어서
③ 꿈이 너무 많아서 미래에 대해 고민하다가
④ 친구 하은이가 꿈에 대해 진지하게 생각해 보라고 해서
⑤ 학교에서 꿈의 다이어리를 받아서 작성하는 것이 숙제여서

[12~13] 다음 글을 읽고 물음에 답하시오.

안녕하세요?

저는 산 깊고 물 맑은 상수리에 사는 김효은입니다. 우리 마을은 앞으로 만강이 흐르고, 뒤로는 우뚝 솟은 산봉우리들이 병풍처럼 둘러싸여 한 폭의 그림처럼 아름답습니다.

숲에는 천연기념물인 황조롱이, 까막딱따구리 같은 새들과 하늘다람쥐가 삽니다. 그리고 만강에는 ㉠ <u>쉬리</u>나 ㉡ <u>배가사리</u>, ㉢ <u>금강모치</u> 같은 우리나라의 토종 물고기가 많이 삽니다.

그런데 어제 만강에 댐을 건설할 수 있는지 알아보려고 담당자들께서 우리 마을을 방문하셨습니다. 담당자들께서는 작년에 비가 많이 와서 만강 하류에 있는 도시에 물난리가 났다고 말씀하셨습니다. 그래서 홍수를 막으려면 우리 마을에 댐을 건설해야 한다고 하셨습니다.

하지만 저는 댐을 건설하는 것에 반대합니다. 우리 상수리에 댐을 건설하면 숲에 사는 동물들이 살 곳을 잃고, 우리는 만강의 물고기들을 다시는 볼 수 없게 될 것입니다. 그리고 마을 어른들께서는 평생 살아온 고향을 떠나야 한다고 말씀하십니다. 우리 마을에 댐을 건설하기로 한 계획을 취소해 주시기를 부탁합니다.

12 이 글에서 ㉠~㉢을 모두 포함하는 낱말은? ──────────── (   )

① 만강
② 상수리
③ 물고기
④ 천연기념물
⑤ 까막딱따구리

13 글쓴이가 자신의 의견을 뒷받침하기 위해 말한 내용으로 알맞지 <u>않은</u> 것은? ───────── (   )

① 상수리의 환경이 파괴된다.
② 홍수로 인한 피해를 막을 수 있다.
③ 만강의 물고기들이 살 곳을 잃는다.
④ 숲에 사는 동물들이 살 곳을 잃는다.
⑤ 마을 어른들께서 평생 살아온 고향을 떠나야 한다.

[14~15] 다음 신문 기사를 보고 물음에 답하시오.

지리산 반달가슴곰, '세쌍둥이' 출산

지난겨울 지리산에서 반달가슴곰이 세쌍둥이를 출산했다고 한다. 야생 반달가슴곰은 한꺼번에 두 마리 이상 새끼를 낳는 일이 드물다. 그런데 세쌍둥이를 낳은 것은 지리산의 자연 생태계가 곰이 살아가는 데 알맞다는 증거라고 한다. 우리는 지리산의 자연 생태계를 보전하려고 노력해야 한다. 그러기 위해서는 숲을 가꾸고 사람들이 들어갈 수 없는 곳을 정해야 한다.

14 신문 기사에 나타난 사실은? ···(   )

① 지리산에서 반달가슴곰이 처음 발견되었다.

② 지리산의 자연 생태계가 심각하게 훼손되었다.

③ 지리산에서 반달가슴곰이 세쌍둥이를 출산했다.

④ 지리산에서 한꺼번에 세 마리의 반달가슴곰이 발견되었다.

⑤ 야생 반달가슴곰은 보통 한꺼번에 새끼를 두 마리 이상 낳는다.

15 신문 기사에 나타난 사실이 가지는 의미는? ·······························(   )

① 동물원을 없애야 한다.

② 숲을 가꾸고 보호해야 한다.

③ 멸종 위기 동물에 대한 교육을 해야 한다.

④ 산에 야생 동물의 먹이를 많이 두어야 한다.

⑤ 우리 산의 아름다움에 대하여 널리 알려야 한다.

[16~17] 다음 글을 읽고 물음에 답하시오.

"야! 너, 내 고무줄을 왜 끊어! 맞아 볼래?"

그 아이는 내 옷을 잡아당기며 주먹과 손바닥으로 내 등을 세차게 때렸다. 등이 욱신거렸지만 기분이 좋았다. 그 아이가 나를 쫓아오는 일들이 매일같이 계속되었다. 그러던 6월의 마지막 날, 그 아이는 나를 때리는 대신 내 옷을 잡고 운동장 스탠드로 향했다. 나를 앉힌 후 그 아이는 가쁜 숨을 쉬며 내게 말했다.

"너……. 나한테……. 관심 있냐?"

나는 놀란 마음에 눈만 커졌다.

"너……. 관심 있지? 너 6학년 시작할 때부터 날 계속 봤잖아."

얼굴이 화끈거렸다. 하지만 오늘에서야 끙끙거리던 무언가를 정리할 수 있을 거라는 생각이 들었다.

"야! 말해 봐. 너 나 좋아하지?"

"……어."

그 아이의 얼굴에 땀이 흘렀고 미소도 함께 흘렀다.

"그럼…… 우리 서로 좋아하는 거네?"

'우리? 서로?'

한번도 느껴보지 못한 벅참이 가슴에서 시작하여 발가락 끝까지 퍼졌다.

"우리 잘 지내 보자. 내가 이런 말 먼저 하긴 그렇지만 말이야."

"어. 미안해, 아니 잘 지내자."

⊙가슴속이 간질거렸다. 자리에서 일어나 걷는 걸음마다 힘이 들어갔다. 그 아이는 고무줄 놀이를 하는 아이들에게 돌아가며 몇 번이나 내게 눈길을 주었다.

「산촌의 저녁」 신민식

16 '나'가 '그 아이'의 고무줄을 끊은 까닭은? ( )

① '그 아이'가 먼저 '나'를 괴롭혀서
② '그 아이'와 장난치는 것이 좋아서
③ '나'보다 고무줄을 더 잘하는 것이 샘나서
④ 다른 친구들과의 내기에서 이기기 위해서
⑤ '그 아이'와 함께 노는 다른 아이의 관심을 끌고 싶어서

17 ⊙이 표현하는 감정은? ( )

① 설렘 ② 두려움
③ 지루함 ④ 미안함
⑤ 걱정스러움

[18~19] 다음 글을 읽고 물음에 답하시오.

⑦ "다 담았어요? 그러면 제 등에 오르세요. 제가 당신 집까지 데려다줄게요."

　동생은 한 손에 금이 든 작은 주머니를 들고, 다른 손으로는 우두머리 까마귀 등을 꼭 잡았습니다. 까마귀는 날개를 펴고 하늘로 날아올랐습니다. 첩첩이 쌓인 이 구름 저 구름을 지나 한참만에 감나무 바로 아래로 내려왔습니다.

⑭ 형은 아주 큰 자루를 만들었습니다. 까마귀 우두머리는 형도 그 산으로 데려다주었습니다. 형은 무척 기뻤습니다. 자기가 동생보다 더 큰 부자가 될 것이라고 생각했습니다. 형은 큰 자루에 금을 꾹꾹 채워 넣고, 그것도 모자라 옷 속에도, 입속에도, 그리고 귓구멍 속에도 가득 채워 넣었습니다. 까마귀가 말하였습니다.

　"다 담았어요? 그러면 제 등에 오르세요. 제가 당신 집까지 데려다줄게요."

　까마귀가 날아올랐습니다.

「까마귀와 감나무」 김기태

18 이 이야기에 나오는 인물을 모두 고른 것은? ·················· (　)

① 형
② 동생
③ 부모님, 형, 동생
④ 동생, 우두머리 까마귀
⑤ 동생, 형, 우두머리 까마귀

19 이야기의 전체 내용을 정리하였습니다. 이어질 내용으로 ㉠에 들어갈 알맞은 내용은?

·················· (　)

동생	→	작은 주머니에 금을 채워 넣음.	→	까마귀를 타고 집으로 돌아옴.
형	→	큰 자루와 옷 속, 입속, 귓구멍 속에 금을 가득 채워 넣음.	→	㉠

① 까마귀의 우두머리가 됨.
② 금을 주머니에 가득 주워 담음.
③ 까마귀에게 감나무를 선물로 받음.
④ 까마귀로 변신하여 하늘을 날아감.
⑤ 금자루가 너무 무거워서 까마귀 등에서 떨어짐.

어느새

장승련

내가 친구에게
좋아한다 말해 볼까
생각만 해도
마음은 어느새
두근두근.

토라진 친구와
웃으며 화해해 볼까
생각만 해도
㉠마음은 어느새
방실방실.

20 위 시를 읽고 생각이나 느낌을 말한 것으로 가장 알맞은 것은? ·············· (   )

① 내가 전학 가게 되었을 때가 떠올라서 속상해졌어.
② 나도 빨리 집에 가서 강아지와 놀고 싶은 생각이 들었어.
③ 좋아하는 친구의 얼굴이 떠올라서 나도 마음이 두근거렸어.
④ 나는 심부름을 잘한다고 엄마께 칭찬을 받았을 때 기분이 좋았어.
⑤ 내가 실수로 짝의 그림을 망쳤는데 짝이 화를 내서 미안했던 경험이 떠올라.

21 시에서 말하는 이의 마음을 떠올려 ㉠을 바꾸어 쓸 때 가장 알맞은 것은? ·············· (   )

① 마음은 어느새
엉엉.

② 마음은 어느새
덜컥.

③ 마음은 어느새
콩닥콩닥.

④ 마음은 어느새
주렁주렁.

⑤ 마음은 어느새
보글보글.

[22~23] 다음을 읽고 물음에 답하시오.

> ㈎ 민호는 초등학생입니다.
>
> ㈏ 초등학생인 민호는 친절합니다.
>
> ㈐ 친절한 민호가 운동을 열심히 합니다.
>
> ㈑ 운동을 열심히 하는 민호는 경찰을 꿈꿉니다.
>
> ㈒ 경찰을 꿈꾸는 민호가 바로 제 친구입니다.

22 ㈎와 짜임이 같은 문장은? ·· (   )

① 동생이 빵을 먹습니다.

② 아기가 하품을 합니다.

③ 내 필통은 파란색입니다.

④ 공이 데굴데굴 굴러갑니다.

⑤ 우리 삼촌은 선생님입니다.

23 ㈎～㈒ 중 다음과 같은 짜임의 문장은? ······························· (   )

> 누가 + 어떠하다

① ㈎   ② ㈏

③ ㈐   ④ ㈑

⑤ ㈒

24 다음 그림의 친구들의 대화에서 ㉠과 ㉡을 알맞게 발음한 것은? ·········· (   )

	㉠	㉡
①	[막따]	[박끼도]
②	[막따]	[발끼도]
③	[말따]	[박끼도]
④	[말따]	[발끼도]
⑤	[말따]	[밥끼도]

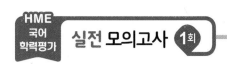

[25~26] 다음 글을 읽고 물음에 답하시오.

> 진영이는 지난 주말에 동생과 함께 집 앞 꽃밭에 꽃을 심었습니다. 그런데 오늘 물을 주려고 보니 쓰레기가 꽃 주위에 흩어져 있었습니다. 진영이와 동생은 그 모습을 보고 실망을 했습니다.
> 진영이는 꽃밭에 버려진 쓰레기를 보면서 깨끗한 꽃밭을 만들려면 어떻게 하면 좋을지 곰곰이 생각했습니다. 그리고 자신의 의견을 알리고자 아파트 주민에게 글을 써서 붙이기로 결심했습니다.

25 진영이가 쓴 글에 알맞은 제안은? ⸺⸺⸺⸺⸺⸺⸺⸺⸺⸺⸺⸺⸺ (   )

① 깨끗한 꽃밭을 만들자는 제안
② 동네에 꽃밭을 없애자는 제안
③ 이웃끼리 친하게 지내자는 제안
④ 각자 집에서 꽃을 키우자는 제안
⑤ 꽃밭에 여러 가지 꽃을 심자는 제안

26 진영이가 제안하는 글을 쓰기 위해 정리한 다음 표에서 빈칸에 들어갈 알맞은 내용은?

⸺⸺⸺⸺⸺⸺⸺⸺⸺⸺⸺⸺⸺⸺⸺⸺⸺⸺⸺⸺⸺⸺⸺⸺⸺⸺⸺⸺⸺ (   )

문제 상황	지난 주말에 저는 동생과 함께 집 앞 꽃밭에 꽃을 심었습니다. 그런데 오늘 물을 주려고 보니 쓰레기가 꽃 주위에 흩어져 있었습니다. 그 모습을 보니 속상했습니다.
제안하는 내용	꽃밭에 쓰레기를 버리지 않으면 좋겠습니다.
제안하는 까닭	

① 꽃이 시들면 보기가 싫습니다.
② 나무를 많이 심으면 공기가 깨끗해집니다.
③ 꽃은 햇빛을 많이 받아야 잘 자랄 수 있습니다.
④ 꽃 중에서 제가 가장 좋아하는 꽃은 국화입니다.
⑤ 꽃은 쓰레기가 없는 깨끗한 꽃밭에서 건강하게 자랄 수 있습니다.

27 다음 글에서 [㉠]에 들어갈 중심 문장으로 가장 알맞은 것은? .... (   )

[㉠] 신호등이 설치되어 있는 횡단보도에서는 초록색 신호를 확인한 뒤, 자동차가 완전히 멈추었을 때 주위를 살피며 건너야 합니다. 이때 서 있는 자동차의 가장 먼 쪽에서 출발하여 대각선 방향으로 건너야 합니다. 만약 신호등이 없는 횡단보도라면, 좌우를 잘 살핀 뒤에 자동차가 다니지 않을 때 건너야 합니다.

어둡거나 비가 오는 날에 길을 건널 때에는 특히 조심하여야 합니다. 밤길을 다닐 때에는 불빛이 잘 반사되는 흰색 계통의 옷을 입어야 합니다. 그리고 비가 오는 날에도 흰색이나 노란색과 같은 밝은 색깔의 옷을 입는 것이 좋습니다. 그래야 운전자의 눈에 쉽게 띄기 때문입니다. 그리고 우산을 쓸 때에는 앞을 가리지 않도록 우산을 들고, 자동차가 오는지 확인하며 걸어야 합니다.

자전거를 탈 때에도 주의를 기울여야 합니다. 자전거를 탈 때에는 혼잡한 자동차 도로를 이용하면 안 되고, 반드시 자전거 도로를 이용하여야 합니다. 그리고 헬멧과 무릎 보호대 등 안전 장비를 꼭 갖추어야 합니다. 또, 길을 건널 때에는 내려서 자전거를 끌고 건너야 위험한 교통사고를 막을 수 있습니다.

① 교통사고 발생이 늘어나고 있습니다.
② 자동차의 수가 점점 많아지고 있습니다.
③ 횡단보도를 건널 때에 주의하여야 합니다.
④ 길을 건널 때 육교나 지하도를 이용합니다.
⑤ 비가 오는 날은 특히 조심을 하지 않으면 위험합니다.

[28~29] 다음을 보고 물음에 답하시오.

> ㈎ 더운물로 손을 씻었다.
> ㈏ 모심기 철에는 손이 많이 모자란다.
> ㈐ 돗자리를 짜는 데에는 손이 많이 간다.
> ㈑ 살던 집까지 남의 손에 넘어갔다.
> ㈒ 장사꾼의 손에 놀아나다.

28 ㈎~㈒ 중 밑줄 그은 '손'이 다음 뜻으로 쓰인 문장은? ·········· (   )

> 일을 하는 사람.

① ㈎   ② ㈏
③ ㈐   ④ ㈑
⑤ ㈒

29 ㈎~㈒ 중 밑줄 그은 '손'이 | 보기 |의 밑줄 그은 '손'과 같은 뜻으로 쓰인 문장은? ·· (   )

┤ 보기 ├

> 범인은 경찰의 손이 미치지 않는 곳으로 도망갔다.

① ㈎   ② ㈏
③ ㈐   ④ ㈑
⑤ ㈒

30 |보기|와 같이 떠올린 내용을 바탕으로 글을 쓰려고 할 때 ㉠에 들어갈 알맞은 문장은?

( )

┤보기├

```
        공으로
         하는
         운동

    농구      피구      축구
```

공으로 하는 운동에는 여러 가지가 있습니다. 축구는 발로 공을 차서 골대에 넣는 운동입니다. 피구는 공을 던져 상대를 맞히는 운동입니다. ㉠

① 나는 피구보다는 축구를 더 좋아합니다.

② 축구는 한 팀이 11명으로 이루어져서 하는 운동입니다.

③ 공 없이 하는 운동으로는 달리기, 줄넘기 등이 있습니다.

④ 농구는 손으로 공을 상대편 골대에 던져서 넣는 운동입니다.

⑤ 야구는 상대 선수가 던진 공을 방망이로 치고 경기장을 돌아 점수를 내는 경기입니다.

실전 모의고사 2회

점수

01 다음 | 보기 |의 대화 상황에서 서로의 감정이나 생각을 받아 주는 마음과 관련이 없는 말은?

·· ( )

┤ 보기 ├

교내 글쓰기 대회에서 시현이가 상을 받았지만 정우는 상을 받지 못한 상황

정우

시현아, 글쓰기 대회에서 상 받았지? ① 정말 축하해.

정우야, 정말 고마워. ② 너도 같이 상을 받았으면 좋았을 텐데…….

시현

③ 내 글이 네가 쓴 것보다 나을 텐데 정말 아쉬워. 그래도 괜찮아. 다음에 다시 도전하면 되지 뭐. 어떻게 하면 글을 잘 쓸 수 있는지 더 배워야겠어.

그래, 나도 배울 것이 많아. ④ 같이 공부해 보자. 다음에는 좋은 결과가 있기를 바라.

⑤ 그래, 고마워.

[02~03] 다음 대화 장면을 보고 물음에 답하시오.

> 재석: 유빈아, 무슨 걱정이 있니?
>
> 유빈: (힘없는 목소리로) 아니, 아무 일도 아니야.
>
> 재석: (빈정거리는 말투로) 에이, 무슨 일이 있는 것 같은데? 뭐야, 말해 봐. 아무에게도 말하지 않을게.
>
> 유빈: (조심스럽게) 사실은 그게, 합동 과제가 내일까지인데 아직 못해서 걱정이야.
>
> 재석: (큰 목소리로) 그럼 모둠 친구들에게 도와 달라고 해야지.
>
> 유빈: (㉠) 어떻게 그러니?
>
> 재석: 그럼 내가 말해 줄까?
>
> 유빈: (다급하게 화를 내며) 그러지 마! 내가 알아서 할게. 넌 그냥 못 들은 걸로 해!

02 ㉠에서 유빈이는 어떤 태도로 말했을지 알맞은 것은? ·························· (　)

① 당황하며

② 박수를 치며

③ 하품을 하며

④ 밝게 웃으며

⑤ 무서워하는 목소리로

03 이 대화에서 유빈이가 화를 낸 까닭은? ··························· (　)

① 재석이가 유빈이의 고민을 듣고 놀려서

② 재석이가 유빈이의 말을 귀담아 듣지 않아서

③ 재석이가 유빈이의 고민을 너무 쉽게 해결해서

④ 재석이가 유빈이에게 스스로 문제를 해결하라고 해서

⑤ 재석이가 유빈이가 원하지 않는 해결 방법을 강요해서

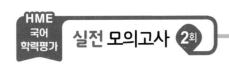
[04~05] 다음 글을 읽고 물음에 답하시오.

> 추석 하면 빠질 수 없는 음식인 송편! 송편을 찔 때 솔잎을 넣는 것을 보면서 이유가 뭘까 궁금했던 적이 있을 거야. 단순히 향긋한 솔잎 향을 떡에 배게 해서 맛과 향을 더하기 위함이라고 생각할 수도 있지만, 여기엔 과학적인 사실이 숨어 있어. 식물은 다른 미생물로부터 자기 몸을 지키기 위해 여러 가지 물질을 뿜어내는데 이를 '피톤치드'라고 해. 피톤치드는 공기 중의 세균이나 곰팡이를 죽이고 해충이 식물에 침해하는 것을 막을 뿐만 아니라, 인간에게 해로운 균을 없애기도 해. 특히 ㉮소나무는 다른 ㉯나무보다 10배 정도 강한 피톤치드를 내뿜는대. 그래서 송편을 찔 때 솔잎을 넣으면 솔잎의 피톤치드가 세균이 송편에 번식하지 못하도록 막아 줘 오래도록 두고 먹을 수 있지. 이렇듯 송편은 ㉠선조들의 지혜가 담긴 매우 과학적인 음식이라고 볼 수 있어.

04 ㉮와 ㉯의 관계와 같은 관계의 낱말로 짝지은 것은? ⋯⋯⋯⋯⋯⋯⋯⋯⋯⋯⋯ (   )

① 봄 – 여름
② 장미 – 국화
③ 앉다 – 서다
④ 축구 – 운동
⑤ 옥수수 – 강냉이

05 송편을 ㉠이라고 한 까닭으로 알맞은 것은? ⋯⋯⋯⋯⋯⋯⋯⋯⋯⋯⋯⋯⋯⋯⋯ (   )

① 송편이 피톤치드를 뿜어내기 때문에
② 추석에 송편을 만들어서 먹기 때문에
③ 송편이 오랜 옛날부터 전해 내려오는 음식이기 때문에
④ 다른 떡에 비해 송편을 먹었을 때 소화가 잘 되기 때문에
⑤ 송편을 찔 때 세균 번식을 막기 위해 솔잎을 넣어서 찌기 때문에

무지개는 몇 가지 색깔일까? 당연히 일곱 가지라고 말하겠지만, 사실 무지개의 색은 일곱 색깔이라고 단정 지어 말할 수 없어. 빛은 연속적인 색으로 이루어져 있기 때문이야.

뉴턴은 천체 망원경으로 별을 관측할 때 별 주위에 밝은 빛의 띠를 보았어. 다른 사람들은 빛은 그저 하얀색이고 렌즈에 문제가 있다고 생각했지만, 뉴턴은 그렇게 생각하지 않았지. 그는 렌즈를 본떠 만든 프리즘을 통과한 빛이 여러 가지 색깔로 나누어지는 것을 보고 빛이 여러 가지 색깔로 이루어져 있다고 주장했어.

그럼 여러 가지 색깔이 연속적으로 이루어진 무지개가 왜 일곱 색깔로 나뉘게 됐을까? 그건 7음인 옥타브나 당시 관측된 7개의 별에서 영향을 받았다는 설이 가장 유력하다고 해.

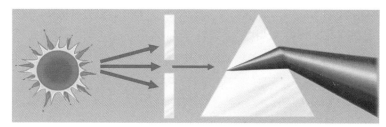

프리즘

06 뉴턴이 프리즘을 통과한 빛을 보고 주장한 것은? ······················ ( )

① 빛은 프리즘에 의해 색깔이 바뀐다.
② 천체 망원경으로 별을 관측할 수 있다.
③ 빛이 여러 가지 색깔로 이루어져 있다.
④ 빛이 프리즘을 통과할 때 휘어져서 꺾인다.
⑤ 비가 온 후에 하늘에서 무지개를 관찰할 수 있다.

07 무지개에 대하여 알맞게 말한 것은? ······························ ( )

① 일곱 색깔이라고 단정 지을 수 있다.
② 7개의 별에서 나오는 빛으로 이루어져 있다.
③ 특정한 별과 관련되어서 일어나는 현상이다.
④ 빛이 연속적인 색으로 이루어져 있는 것이다.
⑤ 빛과 다르게 무지개는 프리즘을 통과할 때 나누어지지 않는다.

[08~09] 다음 글을 읽고 물음에 답하시오.

문화재를 개방해야 합니다. 문화재를 직접 관람하면 옛 조상이 살았던 때를 생생하게 느낄 수 있습니다. 저는 가족과 함께 고인돌 유적지를 보러 갔습니다. 거대한 고인돌이 생생하게 기억에 남았습니다. 누리집에서 고인돌에 대한 정보를 찾아보았고, 학교 도서관에서 고인돌에 대한 책을 빌려 읽기도 했습니다.

또 문화재를 개방해야만 문화재 훼손을 막을 수 있습니다. 20○○년 7월 ○○일 신문 기사를 보니 고궁 가운데 한 곳인 ○○궁에 곰팡이가 번식했다는 내용이 있었습니다. 장마인데 문을 닫고만 있어서 바람이 통하지 않아 곰팡이가 궁궐 안으로 퍼진 것입니다. 사람들이 드나들면서 바람이 통하게 하면 이와 같은 문제는 해결될 것입니다.

문화재를 개방하면 　　　　　　㉠　　　　　　 어디에 있는지도 모르는 유물이 아니라 우리 곁에 있는 문화재가 되어야 합니다. 우리가 함께 가꾸고 보존해 나간다고 생각한 뒤에 힘을 모으면 '살아 있는' 문화재가 될 것입니다.

08 글쓴이의 의견은? (　)

① 문화재를 개방해야 한다.
② 장마철 피해에 대비해야 한다.
③ 새로운 문화재를 만들어야 한다.
④ 문화재에 대한 교육을 해야 한다.
⑤ 유적지에 쓰레기를 버리지 말아야 한다.

09 ㉠에 들어갈, 글쓴이의 의견을 뒷받침하는 내용으로 알맞은 것은? (　)

① 지역의 관광 산업에 도움이 됩니다.
② 더 많은 문화재를 발굴할 수 있습니다.
③ 훼손된 문화재를 복원하는 데 비용이 많이 듭니다.
④ 세계 여러 나라의 문화재에 대하여 알 수 있습니다.
⑤ 자신이 체험한 문화재를 보호하려고 노력하는 사람이 늘어날 것입니다.

10 다음 글의 내용을 |보기|와 같이 정리하려고 합니다. ㉮에 들어갈 문장으로 알맞은 것은?

(   )

> ㉠식물은 곤충이 자기를 먹으려고 하는 것을 여러 가지 방법으로 막는다. ㉡장미와 같은 식물은 가시를 만들어 곤충이 접근하는 것을 막는다. ㉢제라늄처럼 독특한 향기를 뿜어 곤충을 막는 식물도 있다. ㉣그리고 몸에 독성 물질을 만들어 곤충이 먹지 못하게 하는 식물도 있다.

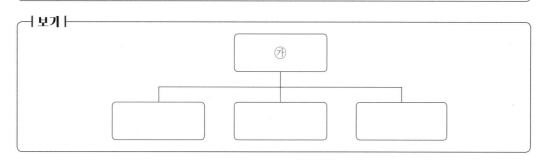

① ㉠   ② ㉠, ㉡

③ ㉣   ④ ㉢, ㉣

⑤ ㉡, ㉢, ㉣

[11~12] 다음 글을 읽고 물음에 답하시오.

안용복은 조선의 평범한 어부였다. 어느 날, 그는 울릉도로 고기잡이를 나갔다가 우리나라의 허락을 받지 않고 고기잡이하는 일본 어선을 발견하였다. 그는 일본 어민들에게 울릉도와 독도는 조선의 영토이므로 울릉도와 독도에 침입하는 것은 법에 어긋나는 것이라고 항의하였다. 그러자 일본 어민들은 그를 일본으로 잡아갔다.

일본에서도 안용복은 울릉도와 독도는 조선의 땅이라고 강하게 말하였다. 처음에는 울릉도와 독도가 일본의 땅이라고 주장하던 일본 정부도 안용복의 설득으로 울릉도와 독도가 조선의 땅임을 분명히 밝히는 문서를 써 주었다. 그의 노력은 조선이 울릉도와 독도를 지키는 데 큰 도움이 되었다.

11 안용복에 대한 설명으로 알맞은 것은? ·································· (   )

① 평범한 어부였다.

② 일본에서 사는 조선인이었다.

③ 조선에서 사는 일본인이었다.

④ 조선의 바다를 지키는 장군이었다.

⑤ 일본의 편에서 우리나라를 약탈하는 데 앞섰다.

12 이 글을 읽고 생각이나 느낌을 가장 알맞게 말한 사람은? ·················· (   )

① 미나: 법이라고 해서 모두 옳은 것은 아니야.

② 인영: 모든 직업은 다 똑같이 귀하고 존중받아야 해.

③ 지선: 나도 독도를 지키기 위해 독도에 대한 공부를 해야겠어.

④ 태주: 나도 아빠랑 낚시하러 간 적이 있었는데 정말 재미있었어.

⑤ 다훈: 역시 어릴 때부터 외국어를 공부하는 것은 도움이 되는구나.

[13~14] 다음 글을 읽고 물음에 답하시오.

라면을 맛있게 먹으려면 어떻게 해야 할까요? 라면을 짧은 시간에 끓여 내야 면발이 덜 붇고 쫄깃합니다. 오래 끓일 경우 면발이 퍼져서 쫄깃한 맛을 즐길 수 없습니다. 그래서 라면은 ⑦대개 꼬불꼬불한 모양으로 만듭니다. 곧은 모양보다 꼬불꼬불한 모양이 물에 닿는 부분이 넓어서 빨리 잘 익기 때문입니다. 면발을 꼬불꼬불한 모양으로 만들면 빈틈이 생기는데, 그 빈틈으로 뜨거운 물이 들어가서 빨리 잘 익게 됩니다. 그리고 면발을 튀기는 과정에서도 기름을 흡수하고 말리는 시간을 줄일 수 있다고 합니다.

또한 라면 면발을 죽 늘어놓으면 엄청나게 길다고 합니다. 작은 봉지에 엄청난 길이의 면발을 넣으려면 꼬불꼬불한 모양이 유리하기 때문에 꼬불꼬불한 모양의 면발은 포장을 할 때 부피를 줄이는 효과도 있습니다.

13 ⑦과 바꾸어 쓰기에 알맞지 <u>않은</u> 것은? ⟶ ( )
① 대충
② 주로
③ 거의
④ 대체로
⑤ 대부분

14 라면 면발을 꼬불꼬불한 모양으로 만드는 까닭으로 알맞지 <u>않은</u> 것은? ⟶ ( )
① 빨리 잘 익기 때문이다.
② 포장할 때 부피를 줄일 수 있기 때문이다.
③ 끓일 때 물에 닿는 부분을 줄이기 위해서이다.
④ 면발을 튀길 때 말리는 시간을 줄일 수 있기 때문이다.
⑤ 면발을 튀기는 과정에서 기름을 흡수하는 시간을 줄일 수 있기 때문이다.

15 다음 시에서 말하는 이가 "참 좋겠다."라고 한 까닭은? ·· (   )

> 내 맘처럼
>
> 최종득
>
> 교실에서
> 강낭콩을 키운다.
>
> 아무도 모르게
> 내 강낭콩 화분을
> 영주 화분 옆에 뒀다.
>
> 조금씩 조금씩
> 줄기가 뻗더니
> 영주 거랑 내 거랑
> 서로 엉켰다.
>
> 이대로
> 칭칭 엉켜 있으면
> 참 좋겠다.

① 강낭콩처럼 키가 크고 싶어서
② 자신의 강낭콩이 영주의 강낭콩보다 더 커서
③ 영주가 자신의 화분을 키워 주면 좋을 것 같아서
④ 자신의 강낭콩이 영주 것보다 더 많이 열릴 것 같아서
⑤ 강낭콩 줄기처럼 자신도 영주와 가깝게 지내고 싶어서

[16~17] 다음 글을 읽고 물음에 답하시오.

> 찌는 듯이 무더운 어느 여름날, 몹시 굶주린 여우 한 마리가 먹을 것을 찾아 나섰습니다. 여기 저기 찾아 헤매던 여우는 마침내 아주 먹음직스러워 보이는 포도송이가 탐스럽게 달려 있는 것을 발견하였습니다.
>
> "옳지! 아주 맛있어 보이는군."
>
> 여우는 코를 벌름거리면서 포도밭으로 뛰어들었습니다. 그러고는 포도송이를 향하여 발돋움을 하였지만 도저히 입에 닿지 않았습니다.
>
> "⬚⬚⬚⬚⬚⬚⬚ ㉠ ⬚⬚⬚⬚⬚⬚⬚"
>
> 여우는 힘차게 뛰어올랐습니다. 그러나 포도를 딸 수가 없었습니다. 또다시 뛰어올랐지만 역시 실패하였습니다. 여우는 끈질기게 몇 번이나 뛰어올랐지만 끝내 한 송이의 포도도 딸 수가 없었습니다.
>
> 지쳐 버린 여우는 화가 났습니다. 여우는 잠시 생각하더니 포도를 바라보며 말하였습니다.
>
> ㉡"저 포도는 너무 시어서 먹을 수가 없어."

16 ㉠에 들어갈 여우의 말로 가장 알맞은 것은? ·· ( )

① 별로 맛이 없네.

② 이만 포기하고 가던 길을 가야겠군.

③ 포도를 먹는다고 배가 부르진 않을 거야.

④ 지금은 별로 포도가 먹고 싶지 않은데······.

⑤ 에잇, 이번에야말로 멋지게 따 먹고 말 테다.

17 여우가 ㉡과 같이 말한 까닭은? ··· ( )

① 포도에서 신 냄새가 났기 때문에

② 포도 알갱이가 너무 작았기 때문에

③ 어차피 포도를 먹을 수 없기 때문에

④ 포도의 색깔이 초록색이었기 때문에

⑤ 포도의 맛을 봤더니 너무 시었기 때문에

18 다음 이야기를 통해 글쓴이가 전하고 싶은 생각은? ················ (   )

> ㈎ '헉, 헉! 숨이 차서 더는 못 달리겠어.'
>   수현이는 너무 힘든 나머지 도중에 포기해야겠다고 생각하고는 몇 걸음 천천히 걸었습니다.
>   그때 등 뒤에서 사람들의 환호 소리가 들렸습니다.
>   "와, 조금만 더 힘내요!"
>   그것은 수현이와 100미터 이상 떨어진 거리에서 쓰러질 듯 달려오는 한 친구에게 보내는 격려의 소리였습니다. 수현이는 꼴찌가 아니라는 사실에 안도하면서 조금씩 힘을 내기 시작했습니다.
>   '이제 거의 다 왔어. 나도 조금만 더 힘을 내자!'
> ㈏ 수현이는 꼴찌로 들어올 친구를 기다렸습니다. 그 친구에게 응원의 박수를 보내 주고 싶었습니다. 그런데 잠시 후, 그 친구가 결승점을 얼마 남기지 않고 경기를 포기했다는 사실을 알게 되었습니다.
> ㈐ "당신도 몸이 약한데, 수현이 뒤에서 함께 뛰다니……. 너무 무리한 것 같아요. 병원에 안 가도 되겠어요?"
>   수현이는 그제야 알았습니다. 자신 뒤에서 꼴찌로 달렸던 사람은 바로 아빠였던 것입니다.
>
>   「아름다운 꼴찌」 이철환

① 부모님의 사랑에 감사해야 한다.
② 친구와 경쟁하는 것은 좋지 않다.
③ 평소에 운동을 꾸준히 해야 한다.
④ 나보다 약한 사람을 잘 보살펴 줘야 한다.
⑤ 무엇이든지 일 등을 하도록 노력해야 한다.

㉮ 나는 내가 가진 가면 중에 ㉠가장 깊숙이 넣어 두었던 가면을 꺼내 보이기로 다짐했다. 아이들과 다르게 나에게 있는 건 어릴 적에 생긴 흉터뿐이다. 나는 칠판에 있는 사람 형상에 내 얼굴을 그렸다. 그리고 턱에 새끼손가락 길이 정도 되는 흉터를 그려 넣었다.

"내가 세 살 때쯤이었을 거야."

내가 입을 떼자, 모두가 나에게 집중하는 게 느껴졌다. 긴장이 돼서 숨이 잘 안 쉬어졌다. 왠지 내 얼굴이 조금 빨개진 것 같기도 했다. 하지만 잘 웃는 아이가 나를 보며 해맑은 미소를 보내 주니 용기가 생겼다.

"우리 집에 갑자기 불이 난 거야. 나는 그때 자고 있어서 불이 난 줄도 몰랐어. 마침 일을 끝마치고 온 아빠가 나를 구하러 불속으로 뛰어들었대. 동네 사람들이 소방관이 올 때까지 기다리라고 말렸는데도 말이야. 아빠는 나를 이불로 꽁꽁 싸서 품에 안고 뛰었대. 근데 현관 앞에 다다랐을 때쯤 위에서 무언가가 떨어지더니 아빠의 다리를 누른 거야."

㉯ 아이들의 눈빛은 전보다 맑고, 또렷했다. 모두 나의 이야기에 귀 기울이고 있다는 게 느껴졌다. 점점 내 자기소개에 반 친구들의 힘이 실리는 것 같아 든든했다.

"아빠는 필사적으로 이불에 둘러싸인 나를 문밖으로 던졌지. 그때 나는 턱에 작은 상처가 남게 되었지만, 아빠는 다리 한쪽을 못 쓰게 되었어. 어릴 적에는 얼굴에 흉터가 남아 있는 게 부끄러웠지만, 지금 생각해 보면 아빠와 닮은 눈이 아닌 턱을 다치게 된 것이 다행이라고 생각해. 아무튼 그때 이후로 나는 아빠의 다리를 낫게 해 줄 수 있는 의사가 되기로 결심했어."

「다섯 번째 새 학기」 이지연

19 ㉠이 의미하는 모습은? ·· (   )

① 가장 화려한 모습   ② 가장 진실된 모습

③ 가장 거짓된 모습   ④ 가장 재미있는 모습

⑤ 가장 자랑하고 싶은 모습

20 '나'는 스스로를 어떤 사람이라고 소개하였는지 알맞은 것은? ············· (   )

① 집에 불이 났을 때 적극적으로 불을 끈 사람이다.

② 다리를 다친 아빠를 사랑으로 간호하는 사람이다.

③ 값비싼 자전거와 장난감을 많이 가지고 있는 사람이다.

④ 아빠의 사랑을 느낄 수 있는 얼굴의 상처가 있는 사람이다.

⑤ 의사인 아빠의 뒤를 이어 의사가 되려고 노력하는 사람이다.

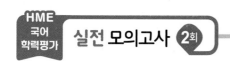

[21~22] 다음 글을 읽고 물음에 답하시오.

> 오늘 우리 가족의 발을 그렸다. 어머니의 발은 아주 거칠거칠하고 딱딱하였다. 누나의 발은 내 발보다는 크고, 어머니의 발보다는 작다. 아버지의 발은 우리 가족의 발 중에서 가장 크다. 그런데 많이 거칠고 딱딱하였다. 우리를 위해 고생하시는 어머니와 아버지께 죄송하고 고마웠다. 내 발은 우리 ㉠가족의 발 중에서 가장 작고 하얗다.

21 '우리 가족'을 발 크기가 큰 순서대로 늘어놓은 것은? ┄┄┄┄┄┄┄┄┄ (   )
① 아버지 – 어머니 – 누나 – '나'
② 어머니 – 아버지 – 누나 – '나'
③ 아버지 – 누나 – 어머니 – '나'
④ 아버지 – 어머니 – '나' – 누나
⑤ 어머니 – 아버지 – '나' – 누나

22 ㉠과 뜻이 비슷한 낱말은? ┄┄┄┄┄┄┄┄┄┄┄┄┄┄┄┄ (   )
① 가상   ② 가축
③ 식구   ④ 남매
⑤ 어버이

23 다음 빈칸에 공통으로 들어갈 낱말은? ⋯⋯⋯⋯⋯⋯⋯⋯⋯⋯⋯ (   )

표현	뜻
부러운 ☐으로 바라보다.	부러운 표정이나 태도로 바라보다.
☐이 나빠서 안경을 쓰다.	시력이 나빠서 안경을 쓰다.
어머니는 과일을 보는 ☐이 있다.	어머니는 과일을 보고 판단하는 능력이 있다.

① 손
② 눈
③ 시선
④ 감각
⑤ 마음

24 다음 밑줄 그은 낱말의 공통점으로 알맞은 것은? ⋯⋯⋯⋯⋯⋯⋯⋯ (   )

- 하늘에 새가 한 마리 날아간다.
- 이불을 덮지 않고 잠을 자서 고뿔에 걸렸다.
- 밤새 눈이 시나브로 쌓였다.
- 점심 때 비빔밥을 먹었다.

① 다른 나라에서 들어온 말이다.
② 한자를 바탕으로 만들어진 말이다.
③ 다른 나라의 말을 빌려 와서 우리말처럼 쓰는 말이다.
④ 우리나라에서 다른 나라로 전해져 세계에서 쓰이는 말이다.
⑤ 우리말에 본디부터 있던 말이나 그것에 기초하여 새로 만들어진 말이다.

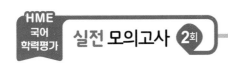
25 밑줄 그은 문장이 l 보기 l의 문단에서 ㉠과 같은 역할을 하지 <u>않는</u> 것은? ·············· (　　　)

┤보기├

㉠내 친구들은 여러 가지 취미 생활을 하고 있습니다. 도희는 탁구 치는 것을 좋아합니다. 희원이는 아버지와 함께 등산을 즐겨 합니다. 그리고 지수는 그림을 그릴 때 행복하다고 합니다.

① <u>책 읽기는 학생들에게 많은 도움이 됩니다.</u> 책을 통하여 지금까지 몰랐던 새로운 지식을 얻을 수 있습니다. 그리고 깊이 있게 생각하는 방법을 배울 수 있습니다. 또, 책을 읽으면 마음이 풍요로워집니다.

② <u>나는 이번 생일에 여러 가지 멋진 선물을 받았습니다.</u> 창빈이는 나에게 생일 선물로 색연필을 주었습니다. 수민이는 예쁜 종이 인형을 만들어 주었습니다. 또, 어머니께서는 재미있는 동화책을 선물로 주셨습니다.

③ <u>봉선화 씨앗은 까만 구슬 알갱이 모양입니다.</u> 참외 씨앗은 갸름한 타원형입니다. 그리고 도깨비바늘의 씨앗은 끝에 고리가 달린 가시 모양입니다. 이처럼 씨앗의 모양은 여러 가지입니다.

④ <u>연의 종류는 연에 붙이는 색종이나 연의 바탕에 칠하는 색깔 등에 따라 다양하다.</u> 연의 가운데 반달 모양의 색종이를 붙인 것을 반달연이라고 하고, 둥근달 모양의 색종이를 붙인 것을 꼭지연이라고 한다. 또, 연의 머리나 허리에 색종이를 붙이거나 색깔을 칠하여 동인 것을 동이연이라고 한다.

⑤ <u>단오는 우리나라에서 예로부터 지키는 명절 중의 하나이다.</u> 씨를 뿌리고 난 뒤에 한 해 농사가 잘되기를 기원하는 날이며, 음력 5월 5일로 홀수가 겹쳐 생기 넘치는 좋은 날로 여겼다. 이날 마을 사람들은 다 같이 모여 창포물로 머리를 감고 씨름이나 그네뛰기 등을 즐겼다.

[26~27] 다음 글을 읽고 물음에 답하시오.

> 민호가 학교를 마치고 집으로 와 보니 아무도 없었습니다. 민호는 배가 고파서 냉장고 문을 열어 보았습니다. 냉장고 안에는 사과, 빵, 우유가 있었습니다. 민호는 빵과 우유를 ㉠꺼내어 먹었습니다. 잠시 뒤에 어머니께서 들어오셨습니다. 어머니께서는 장바구니를 들고 계셨습니다. 장바구니 안에는 민호가 좋아하는 과일이 많았습니다.

26 이 글에 쓰인 낱말 중 사람이나 사물의 이름을 나타내는 낱말로만 짝지어지지 <u>않은</u> 것은?

.... ( )

① 민호, 학교, 집
② 배, 냉장고, 사과
③ 빵, 우유, 어머니
④ 문, 장바구니, 과일
⑤ 민호, 냉장고, 좋아하는

27 국어사전에서 ㉠'꺼내어'의 뜻을 찾으려고 할 때, 찾을 낱말과 그 뜻이 알맞게 짝지어진 것은?

.... ( )

	찾을 낱말	낱말의 뜻
①	꺼내	마음속의 생각 따위를 말로 드러내 놓기 시작하다.
②	꺼내어	마음속의 생각 따위를 말로 드러내 놓기 시작하다.
③	꺼내어	속이나 안에 들어 있는 물건 따위를 손이나 도구를 이용하여 밖으로 나오게 하다.
④	꺼내다	마음속의 생각 따위를 말로 드러내 놓기 시작하다.
⑤	꺼내다	속이나 안에 들어 있는 물건 따위를 손이나 도구를 이용하여 밖으로 나오게 하다.

[28~29] 다음을 보고 물음에 답하시오.

놀이 이름	참여하는 사람의 수
딱지치기	두 명
준비물	놀이 방법
딱지를 접을 종이(달력이나 신문지)	종이 두 개를 엇갈리게 접어 네모 모양으로 만든 뒤 바닥에 있는 상대의 딱지를 쳐서 넘긴다.
승패를 가르는 법	
바닥에 놓인 상대의 딱지를 쳐서 넘기면 이긴다.	

28 위 표의 내용을 바탕으로 설명하는 글을 쓸 때 중심 문장으로 가장 알맞은 것은? ··· (   )

① 종이를 활용하는 방법을 알아봅시다.

② 딱지의 종류에는 여러 가지가 있습니다.

③ 내가 좋아하는 전통 놀이는 딱지치기입니다.

④ 못 쓰는 종이를 재활용하면 자연을 보호할 수 있습니다.

⑤ 요즘 전통 놀이보다 인터넷 게임을 즐겨 하는 친구가 많습니다.

29 위 표의 내용을 바탕으로 설명하는 글을 쓴 것으로 알맞지 <u>않은</u> 내용은? ················ (   )

딱지치기는 ① 두 명이 서로 겨루는 경기입니다. 여러 명이 편을 이루어 겨루기도 합니다. 딱지를 접을 ② 종이를 준비한 뒤 종이 두 개를 엇갈리게 접어 ③ 네모 모양으로 딱지를 만듭니다. ④ 서로 번갈아 가며 바닥에 있는 상대의 딱지를 쳐서 넘깁니다. 상대의 딱지를 ⑤ 선 밖으로 밀어내는 쪽이 이깁니다.

30 다음 논설문을 쓰기 위해 내용을 정리한 표에서 ㉠에 들어갈 내용으로 알맞은 것은?

( )

제목	마음 놓고 학교에 다니고 싶어요
문제	상민이가 학교 앞 횡단보도를 건너다가 차에 치일 뻔하였습니다.
의견	㉠
근거	• 길가에 주차된 차가 없으면 횡단보도를 건널 때에 차가 오는지 살필 수 있어서 안전합니다. • 운전하는 사람도 길을 건너려는 사람을 미리 볼 수 있습니다. • 길가에 주차된 차가 많으면 지나가는 차들이 중앙선을 넘어와서 큰 사고가 날 수 있습니다.

① 학교 앞에 횡단보도를 만들어 주세요.
② 학교 앞 도로에서 과속을 하지 말아 주세요.
③ 학교 앞에 자전거 전용 도로를 만들어 주세요.
④ 학교 앞 길가에 불법 주차를 하지 말아 주세요.
⑤ 자동차를 타고 학교 앞을 지나가지 말아 주세요.

[01~02] 다음 대화를 읽고 물음에 답하시오.

> 원우: 신유야, 이제 네 방으로 가서 놀자.
>
> 신유: 여기야.
>
> 원우: 신유야, 여기는 책이 정말 많구나.
>
> 현영: (귓속말로) 신유는 이 많은 책을 다 봤나 봐.
>
> 지혜: (귓속말로) 정말 많다. 그래서 공부를 잘하나 봐.
>
> 원우: (귓속말로) 역시 책을 좋아하는 신유답다.
>
> 신유: 얘들아, 나만 빼고 너희끼리 귓속말로 비밀 이야기를 하는 것 같아 기분이 나빠.
>
> 현영: 미안해, 신유야. 아무 생각 없이 우리끼리 그냥 한 말인데, 앞으로는 귓속말하지 않을게.

01 위 장면은 어떤 상황에서 나누는 대화인지 알맞은 것은? ⋯⋯⋯⋯⋯⋯⋯⋯ ( )

① 친구 집에 놀러 간 상황

② 준비물을 사러 가는 상황

③ 친구와 함께 도서관에 간 상황

④ 친구들이 다른 친구 험담을 하는 상황

⑤ 학교에서 쉬는 시간에 친구들과 대화를 나누는 상황

02 위 대화 장면을 보고 알 수 있는 대화 예절은? ⋯⋯⋯⋯⋯⋯⋯⋯⋯⋯⋯⋯ ( )

① 귓속말을 하지 말아야 한다.

② 높임말을 알맞게 사용해야 한다.

③ 비속어를 사용하지 말아야 한다.

④ 줄임말을 사용하지 말아야 한다.

⑤ 다른 사람을 흉보지 말아야 한다.

03 다음 그림 ㈎와 ㈏의 상황에서 남자아이는 어떤 말투로 대답하였을지 알맞게 짝지은 것은?

.... (   )

	㈎	㈏
①	반가운 말투	신난 말투
②	자신 있는 말투	시무룩한 말투
③	시무룩한 말투	머뭇거리는 말투
④	머뭇거리는 말투	반가운 말투
⑤	신난 말투	자신 있는 말투

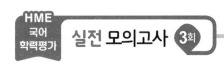

04 다음 글의 내용과 | 보기 |의 휴대 전화 한글 자판으로 보아 ㉠에 들어갈 알맞은 내용은?

( )

한글은 컴퓨터, 휴대 전화 등 기계화에 적합한 문자이다. 오늘날과 같은 정보 통신 시대에 사용하기 좋은 '디지털 문자'로서 탁월하다. 휴대 전화로 문자를 보낼 때에 한글로는 5초면 되는 문장을 중국어나 일본어로는 35초가 걸린다는 연구가 있다. 휴대 전화의 한글 자판은 [㉠   ]에 기초하여 설계되었다. 그렇기 때문에 누구나 쉽고 빠르게 글자를 입력할 수 있다.

| 보기 |

◐ 휴대 전화 한글 자판의 예

① 소리와 모양이 서로 다른 원리
② 완성된 글자의 모양을 직접 입력하는 원리
③ 한 문자의 여러 소리를 모두 입력하는 원리
④ 한글의 자음자와 모음자의 획을 더하는 원리
⑤ 거센소릿자와 된소릿자로만 이루어지는 원리

05 다음 회의 장면에 이어질 사회자의 말로 ㉠에 들어갈, 찬우가 잘못한 점은? ·········· (   )

> 사회자: 오늘 회의 주제는 다수결의 원칙에 따라 "친구들과 사이좋게 지내자."로 정하겠습니다. 친구들과 사이좋게 지내려면 실천해야 할 일이 무엇인지 발표해 주십시오. 박태영 친구가 의견을 발표해 주십시오.
>
> 박태영: 제 의견은 "듣기 싫은 별명으로 부르지 말자."입니다. 기분이 나빠지면 서로 사이좋게 지내기가 어려워지기 때문입니다.
>
> 사회자: 좋은 의견입니다. 다른 의견이 더 있습니까? 이희정 친구가 의견을 발표해 주십시오.
>
> 이희정: 저는 고운 말을…….
>
> 강찬우: 잠깐만. "심한 장난을 하지 말자."가 좋겠습니다. 왜냐하면 장난이 심해져서 싸우는 경우가 많기 때문입니다.
>
> 사회자: 강찬우 친구, 좋은 의견 감사합니다. 하지만 [㉠   ]은 잘못입니다.

① 다른 친구의 의견을 비난하는 것

② 주제와 관련 없는 의견을 말하는 것

③ 의견에 알맞은 까닭을 말하지 않는 것

④ 다른 사람이 의견을 발표할 때 끼어드는 것

⑤ 회의에서 발표할 때 높임말을 사용하지 않는 것

[06~07] 다음 글을 읽고 물음에 답하시오.

예술적 감각이 있는 일정한 의복 양식이나 스타일을 '패션'이라고 한다. 패션의 본질은 언제나 새롭게 변화하는 것이다. 우아한 곡선과 아름다운 색, 다양한 장신구를 이용해 시대마다 변화하는 패션은 각 시대의 사람들에게 기쁨을 주었다.

패션에 대한 생각은 시대에 따라 확연히 달라지기도 한다. 어떤 시대에는 아름답다고 여겨지던 것들이 다음 세대에는 끔찍한 것으로 여겨졌다. 고대 이집트인들은 눈썹 한 올조차 혐오스럽다고 여겨 머리카락을 모두 뽑았다. 반면 빅토리아 시대의 남자들은 길고 풍성하게 수염을 기르고 다듬는 데 공을 들였다.

유행하는 패션에는 그 시대의 사회 분위기가 반영되어 있다. 중세 유럽에서는 절제와 경건함을 강조하던 교회의 힘이 약해지자, 몸매를 드러내는 과감한 옷이 유행했다. 또한 제1차 세계 대전 후에는 전쟁터에서 사망한 남자들의 자리를 여자들이 대신 채우게 되면서, 일하는 데 편한 여성 패션이 유행하게 되었다. 이렇듯 패션의 흐름을 보면 당대의 사회 분위기와 밀접한 관련이 있음을 알 수 있다.

06 패션에 대한 설명으로 알맞지 <u>않은</u> 것은? ·· (   )

① 패션은 사람들에게 기쁨을 준다.

② 패션에 대한 생각은 시대에 따라 달라지기도 한다.

③ 유행하는 패션에는 그 시대의 사회 분위기가 반영되어 있다.

④ 예술적 감각이 있는 일정한 의복 양식이나 스타일을 패션이라고 한다.

⑤ 아름답다고 여겨지는 패션은 시대와 상관없이 모두가 아름답다고 여긴다.

07 중세 유럽에서 몸매를 드러내는 과감한 옷이 유행한 까닭은? ·························· (   )

① 아시아에서 유행이 전파되었기 때문에

② 여성의 사회적 지위가 높아졌기 때문에

③ 기후 변화로 날씨가 급격히 더워졌기 때문에

④ 절제와 경건함을 강조하던 교회의 힘이 약해졌기 때문에

⑤ 전쟁터에서 사망한 남자들의 자리를 여자들이 채웠기 때문에

딸들에게

피아노와 춤을 사랑하는 큰딸 시연아! 십 년 전 막 태어난 너를 처음 안았을 때의 느낌이 아직도 생생한데 벌써 4학년이 되었구나. 친구들과 어울려 놀러다니는 너를 보며 우리 딸이 많이 컸다는 사실을 새삼 실감하곤 한다. 언제나 바르게 생활하고, 하고 싶은 것도 많고 꿈도 많은 시연이가 엄마는 ㉠항상 자랑스럽단다. 앞으로도 지금처럼 건강하고, 좋아하는 일을 열심히 하는 시연이가 되면 좋겠구나.

우리 집 애교쟁이 ㉡작은딸 정연아! 퇴근해서 집으로 돌아오면 가장 먼저 현관으로 뛰어나오는 귀염둥이! 엄마를 세상에서 가장 좋아한다는 것을 온몸으로 느끼게 해 주는 딸, 네가 현관에서 나를 맞아 줄 때 하루의 피로가 모두 없어진단다. 언제나 밝고 씩씩하게 자라길 바란다. 주변 사람 모두가 행복을 느끼게 하는 ㉢너의 미소를 언제까지나 보고 싶구나.

우리 딸들의 깔깔대는 웃음소리를 들을 때마다 엄마는 ㉣힘이 솟고 행복감을 느낀단다. 엄마에게 너희는 세상 무엇과도 바꿀 수 없는 소중한 보물이야. 엄마는 너희가 건강하고 훌륭하게 자랄 수 있도록 도울게. ㉤언제나 사랑한다.

20○○년 ○○월 ○○일
엄마가

08 글쓴이가 딸들에게 전하고 싶은 마음은? ⋯⋯⋯⋯⋯⋯⋯⋯⋯⋯⋯⋯⋯⋯ (　　　)

① 화난 마음　　　　　　　　　② 미안한 마음
③ 두려운 마음　　　　　　　　④ 서운한 마음
⑤ 사랑하는 마음

09 ㉠~㉤ 중 글쓴이의 마음이 드러나는 표현이 **아닌** 것은? ⋯⋯⋯⋯⋯⋯⋯⋯ (　　　)

① ㉠　　　　　　　　② ㉡　　　　　　　　③ ㉢
④ ㉣　　　　　　　　⑤ ㉤

[10~11] 다음 글을 읽고 물음에 답하시오.

비가 올 때 사용하는 도구에는 어떤 것이 있을까? 옛날 사람들은 비가 올 때면 삿갓이나 도롱이를 사용했다. ㉠삿갓은 대오리나 ㉡갈대로 거칠게 엮어 만든 모자이다. 반면 도롱이는 짚이나 띠 같은 ㉢풀을 두껍게 엮어 만든 망토이다. 삿갓과 도롱이를 함께 쓰면 비를 맞지 않고 양손을 자유롭게 움직일 수 있다. 그래서 농부들은 삿갓과 도롱이를 많이 활용했다.

오늘날 사람들은 ㉣천이나 ㉤비닐로 만든 가벼운 우산을 쓴다. 처음에 우산은 갈색이나 검은색 비단에 쇠살을 붙인 모습이었다. 그런데 비단에 쇠살을 붙인 우산은 비에 젖으면 무거워졌다. 그래서 비에 잘 젖지 않는 천과 가벼운 ㉮소재로 우산을 만들었다. 요즘에는 자동식 우산이나 접이식 우산도 있다.

10 이 글의 전체 내용을 간추린 것으로 가장 알맞은 것은? ·································· (   )

① 삿갓은 모자이고 도롱이는 망토이다.

② 비가 올 때 사용하는 도구에는 삿갓, 도롱이, 우산 등이 있다.

③ 비가 올 때 농부들은 삿갓과 도롱이를 많이 활용했고, 양반들은 우산을 사용했다.

④ 옛날 사람들은 비가 올 때 삿갓과 도롱이를 많이 사용하였고, 오늘날 사람들은 우산을 사용한다.

⑤ 처음에 우산은 쇠살에 비단을 붙여 만들었지만 요즘에는 비에 잘 젖지 않는 천과 가벼운 소재로 우산을 만든다.

11 이 글의 내용으로 보아 ㉠~㉤ 중 ㉮'소재'에 해당하는 낱말이 **아닌** 것은? ·············· (   )

① ㉠   ② ㉡   ③ ㉢

④ ㉣   ⑤ ㉤

[12~13] 다음 글을 읽고 물음에 답하시오.

물은 사람이 살아가는 데 매우 중요합니다. 우리는 어디에서든지 물을 쉽게 구할 수 있습니다. 그러나 아프리카의 일부 아이들은 깨끗한 물을 구하지 못해 어려움을 겪고 있습니다. 많은 아이가 더러운 물을 마셔 생명이 위험할 수 있습니다.

깨끗한 물을 마시지 못하는 아이들을 위해 기부 운동에 참여합시다. 기부 운동에 참여하면 아프리카 어린이들이 깨끗한 물을 마시고 사용할 수 있습니다.

12 이 글의 제목으로 가장 알맞은 것은? ·· ( )

① 물을 아껴 씁시다
② 아프리카에 놀러 오세요
③ 음식물 쓰레기를 줄입시다
④ 깨끗한 물을 나누어 주세요
⑤ 건강을 위해 물을 자주 마셔요

13 이 글의 내용을 |보기|와 같이 정리할 때 ㉠~㉢에 들어갈 내용을 알맞게 짝지은 것은?

·· ( )

보기	
㉠	아프리카의 일부 아이들을 깨끗한 물을 마실 수 없습니다.
㉡	기부 운동에 참여합시다.
㉢	아프리카 어린이들이 깨끗한 물을 마시고 사용할 수 있게 도울 수 있습니다.

	㉠	㉡	㉢
①	제안하는 내용	문제 상황	제안하는 까닭
②	제안하는 까닭	제안하는 내용	문제 상황
③	문제 상황	제안하는 까닭	제안하는 내용
④	문제 상황	제안하는 내용	제안하는 까닭
⑤	제안하는 까닭	문제 상황	제안하는 내용

14 다음 공익 광고에서 '지식인이 되는 방법'을 표현한 것을 | 보기 |에서 모두 고른 것은?

( )

내가 지식인이 되는 방법

'찾기'가 아니라 '읽기'입니다.

인터넷에서 찾아보면 금방 알 수 있다? 쉽게 얻은 정답은 지식으로 오래 남기 어렵습니다. 내가 지식인이 되는 방법, 인터넷 검색이 아닌 독서입니다.

┤ 보기 ├
ㄱ '찾기' ㄴ '읽기'
ㄷ 화살표 모양 그림 ㄹ 손 모양 그림
ㅁ 독서 ㅂ 인터넷 검색

① ㄱ, ㄴ ② ㄱ, ㄷ, ㅂ
③ ㄴ, ㄹ, ㅁ ④ ㄱ, ㄷ, ㅁ
⑤ ㄴ, ㄹ, ㅂ

[15~16] 다음 글을 읽고 물음에 답하시오.

㉮ 준은 할아버지가 손님들과 이야기하는 틈을 타 붓글씨 쓰는 것을 내팽개치고 논으로 놀러 나 갔습니다. 마을 아이들이 "흰죽 논, 흰죽 논." 하면서 논 사이를 뛰어다니고 있었습니다. 흉년에 는 흰 죽 한 끼 얻어먹고 논을 팔아넘긴다고 해서 흰죽 논이라는 말이 생겨났지요.

"아이고! 최 부잣집 도련님 아니십니까? 이 근방에는 흰죽 논이 없습죠. 대감마님께서 올해같 이 ㉠논이 헐값일 때는 논을 사지 않으신답니다. 이거 정말 감사할 노릇입죠."

농부는 하던 일을 멈추고 논에서 나와 준에게 이야기를 해 주었습니다.

"한번은 이런 일도 있었습죠. 큰 흉년이 들어 굶어 죽는 사람이 허다했는데, 대감마님께서 곳 간을 열고 굶고 있는 사람들에게 죽을 끓여 먹이라고 했습죠."

㉯ 준은 문득 작년 이맘때 일이 생각났습니다. 한 하인이 장사가 끝날 때쯤 생선 가게에 가서 헐 값에 청어를 사 왔다가 할아버지에게 호되게 혼이 났습니다.

"물건을 살 때는 아침에 가서 제값을 주고 사 오라고 했거늘 어찌 끝날 때쯤 헐값을 주고 사 오 느냐? 헐값에 생선을 넘기는 생선 장수의 마음을 ㉡헤아릴줄모른단말이냐?"

그 일이 있은 후 장사치들은 너도나도 좋은 물건들을 가지고 최 부잣집을 찾아오게 되었지요.

「가훈 속에 담긴 뜻」 조은정

15 준의 할아버지가 ㉠과 같이 행동한 의도는? ──────────────── ( )

① 농부가 헐값에 논을 팔고 나중에 후회할까 봐
② 논을 헐값에 사는 것은 불법이라서 벌을 받을까 봐
③ 헐값에 파는 논은 질이 좋지 않아서 손해를 볼까 봐
④ 논을 헐값에 사면 농부들이 일을 열심히 하지 않아서
⑤ 헐값에 논을 사면 농사가 잘되지 않는다는 말이 있어서

16 다음 중 ㉡을 바르게 띄어 쓴 것은? ──────────────── ( )

① 헤아릴줄 모른단말이냐?
② 헤아릴줄 모른단 말이냐?
③ 헤아릴 줄 모른단말이냐?
④ 헤아릴 줄 모른단 말이냐?
⑤ 헤아릴 줄 모른단 말 이냐?

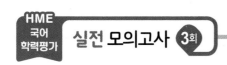
17 다음 이야기에서 '나'가 깨달은 것은? ·· (   )

㉮ "그럼 제 소원도 들어주실 수 있어요?"

"그래, 말해 봐라. 잘 들어 보마."

그런데 할아버지의 말이 좀 이상했어요.

"저, 할아버지께서 소원을 들어주시는…… 그러니까 이루어 주시는 거 맞죠?"

할아버지가 너털웃음을 터뜨렸어요.

"내가 무슨 재주로 소원을 이루어 주냐? 그냥 들어 주는 거지."

㉯ 나는 엄마에게도 소원이 있냐고 물었지요. 엄마는 없다고 자꾸 얼버무리더니 내가 계속 물으니까 피식 웃으면서 말했어요.

"음, 스페인에 가 보는 거? 내가 원래 글 쓰는 것도 좋아하고 여행도 좋아해서 여행 작가가 되는 게 꿈이었거든. 특히 스페인에 꼭 가 보고 싶었는데……."

엄마가 작게 한숨을 쉬었어요. 늘 집에만 있는 엄마가 여행을 그렇게 좋아하는지 나는 처음 알았어요. 소원이라는 말만 나오면 다들 마음 깊숙이 넣어 놓은 비밀을 하나씩 꺼내는 것 같았어요.

㉰ 학교를 마치자마자 달고나 할아버지를 찾아갔어요. 할아버지는 나를 보고 싱긋 웃었지요.

"그래, 소원 많이 들어 주고 왔니?" / "네……."

"그럼 이제 네 소원도 한번 들어 보자."

"그걸 아직 잘 모르겠어요. 사람들 소원을 들으니까 마음이 이상해요. 뭔가 찌르르하기도 하고……."

"허허, 진심으로 잘 들어 줬구나. 이제 네 소원이 뭔지도 생각해 보렴."

㉱ "할아버지, 제 소원이 뭔지 이제 알았어요."

할아버지는 달고나 만들던 것을 멈추고 고개를 들더니 빙그레 웃었어요.

"그래, 드디어 네 소원을 들어 보는구나."

"제 소원은요, 세상 사람들 소원을 다 들어 주는 거예요. 마법사처럼 소원을 이루어 주지는 못해도…… 사람들 마음속에 있는 소원을 꺼내서 어루만져 주고 싶어요."

할아버지는 허허허 웃으며 내 머리를 쓰다듬었어요.

"소원을 이루어 주는 것도 좋지만, 소원을 들어 주는 것도 아무나 하는 일은 아닐 거다."

「소원을 들어 주는 아이」 이수용

① 다른 사람을 놀리면 안 돼.

② 사람들의 소원은 다 비슷비슷하네.

③ 소원을 이룰 수 있도록 노력해야겠구나.

④ 부모님께 효도하고 웃어른을 잘 섬겨야겠어.

⑤ 소원을 들어 준다는 것은 그 사람의 이야기와 마음을 나누는 것이구나.

[18~19] 다음 글을 읽고 물음에 답하시오.

㉮ 가족과 함께 형의 연극을 보러 가는 중에 천수는 계속 신이 나 있었어요.

"왜 이렇게 신이 나 있을까?"

"주인공이 형이잖아. 엄청 멋있겠지?"

엄마는 이상하다는 듯이 물었어요. / "형이 주인공이래?"

"응. 형이 엄청 중요한 역할이라고 했으니깐."

천수는 멋있는 형을 볼 수 있다는 생각으로 기대감에 부풀었어요.

㉯ 불이 꺼지면서 연극이 시작됐어요. 그런데 이게 무슨 일일까요? 주인공인 줄 알았던 천수의 형이 나무 분장을 하며 서 있는 것이 아니겠어요? 천수는 형의 모습에 그만 울음을 터뜨리고 말았어요.

㉰ 천수는 형에게 화를 내며 말했어요.

"형. 주인공이라며 왜 거짓말했어?"

천수의 말에 다른 가족들은 크게 웃었어요. 그리고 형은 천수를 안고 무대를 보여 주며 말했어요.

"천수야, 저기 무대 보여?"

형이 손가락으로 무대를 가리켰어요. 무대에는 큰 나무들, 성, 바위 같은 것들이 가득했어요. 마치 진짜 성 앞에 있는 것처럼 말이에요.

"저기 있는 거. 형이 만들었다."

형의 말에 천수는 깜짝 놀랐어요. 하지만 이내 실망했어요.

"그래도 형, 나무잖아."

천수의 말에 형은 잠시 고민하고 말했어요.

"㉠   "

「골키퍼가 좋아요」 최예규

18 천수가 형의 연극을 보고 울음을 터뜨린 까닭은? ⋯⋯⋯⋯⋯⋯⋯⋯ (   )

① 의자가 너무 불편해서

② 형이 주인공 역할이 아니어서

③ 형의 연극이 아주 감동적인 내용이어서

④ 형이 연극에서 아무 역할도 맡지 못해서

⑤ 형이 고생하는 모습을 보고 마음이 아파서

19 ㉠에서 형이 천수에게 했을 말로 알맞은 것은? ⋯⋯⋯⋯⋯⋯⋯⋯ (   )

① 나무가 키가 제일 커서 멋있지 않니?

② 나도 조금 속상하지만 어쩔 수 없었어.

③ 등장하는 횟수를 따지면 나무가 제일 많아.

④ 나무가 모든 역할 중에서 제일 중요한 역할이야.

⑤ 더 중요한 역할은 없어. 모든 역할이 다 중요한 거야.

[20~21] 다음 시를 읽고 물음에 답하시오.

꽃씨

김완기

몰래
겨울을 녹이면서
봄비가 내려와 앉으면

꽃씨는
땅속에 살짝 돌아누우며
눈을 뜹니다.

봄을 기다리는 아이들은
쏘옥
손가락을 집어넣어 봅니다.

꽃씨는 저쪽에서
고개를 빠끔
얄밉게 숨겨 두었던
파란 손을 내밉니다.

20 꽃씨의 눈을 뜨게 만든 것은? .... (   )

① 겨울   ② 봄비   ③ 나무

④ 바람   ⑤ 아이들

21 이 시를 읽고 떠올릴 수 있는, 꽃씨가 변하는 모습을 I 보기 I에서 알맞게 고른 것은?
.... (   )

┤ 보기 ├
㉠ 꽃씨의 싹이 나오는 모습
㉡ 꽃봉오리에서 꽃이 피는 모습
㉢ 꽃씨가 싹을 틔우려고 벌어진 모습
㉣ 꽃잎이 시들어서 땅에 떨어지는 모습

① ㉠ → ㉡   ② ㉡ → ㉣   ③ ㉢ → ㉠

④ ㉣ → ㉠   ⑤ ㉠ → ㉣

22 ⊙~⊕을 문장의 호응에 맞게 고쳐 쓴 방법으로 알맞은 것은? ⋯⋯⋯⋯⋯⋯⋯ (   )

> ⊙ 도서관에는 새로운 책이 전혀 있다.
> ⓛ 그것은 결코 위험한 행동이 맞다.
> ⓒ 나는 여행 다니는 것을 별로 좋아한다.
> ⓔ 어제는 비와 바람이 불었다.
> ⓜ 나는 어제 동생과 함께 도서관에 갈 것이다.

① ⊙ '새로운'에 어울리도록 '있다'를 '없다'로 고쳐 쓴다.

② ⓛ '그것은'에 어울리도록 '맞다'를 '있다'로 고쳐 쓴다.

③ ⓒ '나는'에 어울리도록 '별로'를 '그다지'로 고쳐 쓴다.

④ ⓔ '어제는'에 어울리도록 '불었다'를 '분다'로 고쳐 쓴다.

⑤ ⓜ '어제'에 어울리도록 '갈 것이다'를 '갔다'로 고쳐 쓴다.

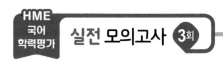

23 다음 ㉠에 들어갈 낱말로 알맞지 <u>않은</u> 것은? ·····························(   )

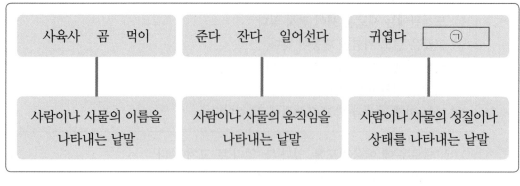

① 크다

② 뛰다

③ 빨갛다

④ 뜨겁다

⑤ 동그랗다

24 다음 중 높임 표현을 바르게 사용하지 <u>못한</u> 사람은? ·······················(   )

① 은서: 이번 주말이 우리 아빠 생신이야.

② 태린: 그래? 선물은 뭘 줄 거야?

③ 하정: 아빠께서 좋아하시는 걸 드려야지.

④ 지서: 뭘 받고 싶으신지 아빠께 여쭈어 봐.

⑤ 영규: 아빠께서 네 선물을 받고 기뻐하시면 좋겠어.

[25~26] 다음 글을 읽고 물음에 답하시오.

무역은 나라 간에 물건을 사고파는 것을 말해요. 우리나라가 다른 나라에 물건을 파는 것을 ⊙ , 우리나라가 다른 나라에서 물건을 사 오는 것을 ⓒ 이라고 하죠.

우리나라에서 수입하는 것 중 제일 중요한 것은 석유예요. 우리나라에서는 석유가 많이 나지 않기 때문에 필요한 석유를 전부 외국에서 사 와야 하거든요. 반면 자원이 풍부하지 않은 대신 기술력이 뛰어난 우리나라는 휴대전화, 반도체, 자동차 등을 만들어 세계로 수출하고 있어요. 우리 경제의 무역 의존도는 총생산(GDP)의 68%나 돼요. 무역이 잘 안 이루어지면 우리 경제가 심각하게 나빠지는 구조인 거죠.

미국과 중국 간에 무역 전쟁이 벌어지면 우리나라의 무역에도 먹구름이 끼게 돼요. 무역 전쟁의 여파로 중국이 미국에 수출하는 양이 줄어들면 우리나라가 중국에 수출하는 양도 줄어들기 때문이에요. 우리나라는 중국에 부품이나 재료 등을 수출하고 중국은 이를 다시 가공해서 미국으로 수출하고 있어요. 그런데 미국이 중국 제품에 ㉮ 을/를 높게 매기면서 중국의 수출이 줄어들면 그만큼 우리나라 수출도 타격을 입게 되는 거예요.

25 ⊙과 ⓒ에 들어갈 낱말로 알맞은 것은? ·· ( )

	⊙	ⓒ
①	수입	수출
②	수출	수입
③	수입	지출
④	지출	소득
⑤	소득	지불

26 ㉮에 들어갈, 다음 뜻을 가진 낱말은? ·· ( )

> 외국에서 수입해 들어오는 상품에 붙는 세금.

① 관세 ② 경기
③ 관습 ④ 과금
⑤ 수료

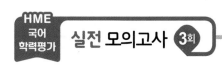
27 다음 뜻을 나타내는 낱말 두 가지가 모두 표준어로 짝지어지지 <u>않은</u> 것은? ········· (   )

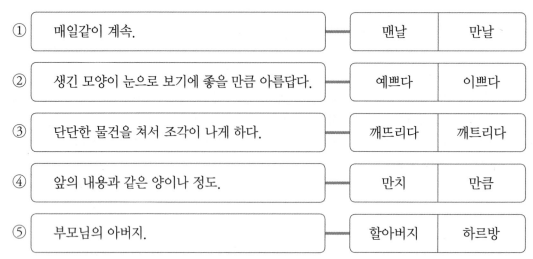

①	매일같이 계속.	맨날	만날
②	생긴 모양이 눈으로 보기에 좋을 만큼 아름답다.	예쁘다	이쁘다
③	단단한 물건을 쳐서 조각이 나게 하다.	깨뜨리다	깨트리다
④	앞의 내용과 같은 양이나 정도.	만치	만큼
⑤	부모님의 아버지.	할아버지	하르방

28 다음 상황에서 쓸 수 있는 속담으로 알맞은 것은? ································ (   )

고장 난 장난감을 고치는데 수리비가 장난감의 가격보다 비쌀 때

① 티끌 모아 태산
② 배보다 배꼽이 더 크다
③ 까마귀 날자 배 떨어진다
④ 금강산 구경도 식후경이라
⑤ 사공이 많으면 배가 산으로 간다

29 편식과 관련된 자신의 생각을 글로 쓰기 위해 떠올린 것으로 알맞지 <u>않은</u> 것은? ···(   )

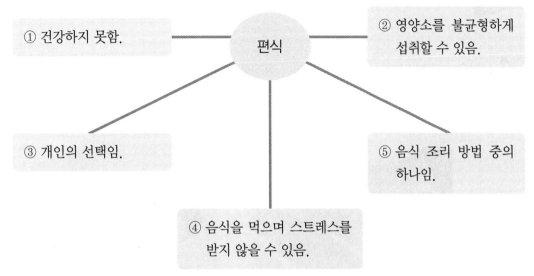

① 건강하지 못함.

② 영양소를 불균형하게 섭취할 수 있음.

편식

③ 개인의 선택임.

⑤ 음식 조리 방법 중의 하나임.

④ 음식을 먹으며 스트레스를 받지 않을 수 있음.

30 '편식하면 안 된다'라는 의견을 뒷받침하는 내용으로 알맞은 것끼리 짝지은 것은? (   )

> ㉠ 싫어하는 음식까지 억지로 먹을 필요는 없다.
> ㉡ 편식을 하면 영양분이 불균형해져서 성장이 늦어질 수 있다.
> ㉢ 특정 음식이 아니라도 다른 음식으로 영양소를 골고루 섭취할 수 있다.
> ㉣ 음식을 골고루 먹으면 여러 가지 영양소를 균형 있게 섭취할 수 있어서 건강해진다.

① ㉠, ㉡   ② ㉠, ㉣

③ ㉡, ㉢   ④ ㉡, ㉣

⑤ ㉢, ㉣

01 다음 그림에 나타난 인물의 표정이나 몸짓을 보고 ㉠과 ㉡에 들어갈 말로 알맞은 것끼리 짝지은 것은? ·· (   )

	㉠	㉡
①	고마워.	정말 재미있구나.
②	실망스러워.	정말 맛있네.
③	잘했어!	많이 아프니?
④	정말 무섭네.	축하해.
⑤	이게 뭐야?	미안하구나.

[02~03] 다음 대화 장면을 보고 물음에 답하시오.

> 원우: 안녕하세요? 그런데 신유는 어디 갔나요? 어? 신유야, 생일 축하해!
>
> 지혜, 태훈: 아주머니, 안녕하세요? 생일잔치에 초대해 주셔서 감사합니다.
>
> 신유 어머니: 이렇게 신유의 생일을 축하하러 우리 집에 와 줘서 고맙구나. 손 씻고 식탁에 앉으렴.
>
> 친구들 모두: 야, 맛있겠다!
>
> 원우: 내가 닭 다리 먹어야지!
>
> 태훈: 아주머니, 맛있는 음식을 준비해 주셔서 고맙습니다. 잘 먹겠습니다.
>
> 지혜: 아주머니, 맛있는 음식을 준비해 주셔서 고맙습니다. 맛있게 먹겠습니다.
>
> 신유 어머니: 그렇게 말해 주니 고맙구나. 천천히 많이 먹으렴.

02 이 대화에 나타난 상황으로 알맞은 것은? ──────────── (   )

① 친구들과 역할놀이를 하는 상황

② 시장에서 친구 어머니를 만난 상황

③ 가족들이 식당에 식사하러 간 상황

④ 점심시간에 학교 급식실에서 밥을 먹는 상황

⑤ 친구 생일잔치를 하기 위해 친구 집에 간 상황

03 이 대화 장면에서 대화 예절에 어긋나게 말한 사람은? ──────────── (   )

① 원우   ② 지혜

③ 태훈   ④ 신유 어머니

⑤ 대화 예절에 어긋나게 말한 사람 없음.

[04~05] 다음 글을 읽고 물음에 답하시오.

> 엄마를 냄새로 찾아낸 꽃담이에게
>
> 꽃담아, 안녕? 나는 얼마 전에 도서관에서 『초록 고양이』를 읽었어. 초록 고양이가 데려간 엄마를 네가 냄새로 찾아 다시 엄마와 만난다는 내용에서 감동을 받았어.
>
> 나는 엄마를 사랑하기는 하지만 엄마에 대한 것을 기억하려고 애쓰지는 않았던 것 같아. 네가 엄마를 냄새로 찾은 것은 늘 엄마에게 관심과 애정이 있었다는 거잖아.
>
> 이 이야기를 읽고 부모님에게 좀 더 많은 관심을 가져야겠다고 생각했어. 가족의 소중함을 일깨워 줘서 정말 고마워.
>
> 그럼 안녕.
>
> 20○○년 ○○월 ○○일
> 친구 박성준

04 이 글의 종류는? —————————————————— (   )

① 일기   ② 독서 감상문
③ 설명하는 글   ④ 주장하는 글
⑤ 초대하는 글

05 이 글에 나타나 있는 내용이 <u>아닌</u> 것은? ————————— (   )

① 감동받은 점
② 앞으로의 다짐
③ 편지를 받는 이
④ 책을 추천해 준 사람
⑤ 주인공에게 고마운 점

06 다음 글을 읽고 중요한 내용을 간추리기 위해 | 보기 |와 같이 정리하였을 때 빈칸에 알맞은 내용은? ·· (   )

석탄, 석유, 가스, 전기 같은 에너지 자원은 한없이 있는 것이 아니다. 다 쓰고 나면 더는 에너지 자원을 구할 수 없게 된다. 특히 석유는 우리나라에서는 나지 않아 외국에서 수입해 오고 있다. 이처럼 중요한 에너지를 어떻게 절약해야 할까? 에너지를 절약하는 것은 그리 어렵지 않다. 관심을 가지고 내가 할 수 있는 작은 일부터 실천하면 된다.

우리가 에너지를 절약하는 방법은 두 가지로 나눌 수 있다. 먼저, 에너지를 불필요하게 사용하지 않는 것이다. 쓰지 않는 꽂개는 반드시 뽑아 놓고, 빈방에 켜 놓은 전깃불은 끈다. 그리고 뜨거운 음식은 식힌 뒤에 냉장고에 넣는다.

다음은, 에너지 사용을 줄이는 것이다. 가전제품은 에너지 효율이 높은 것을 쓰고, 조명 기구는 전기가 적게 드는 제품을 사용한다. 한여름에는 냉방기를 적게 쓰고, 겨울에도 난방 기구를 덜 쓰도록 노력해야 한다.

지금까지 에너지 절약 방법을 알아보았다. 에너지 절약은 말로 하는 것이 아니다. 생활 속에서 바로 실천해야 한다.

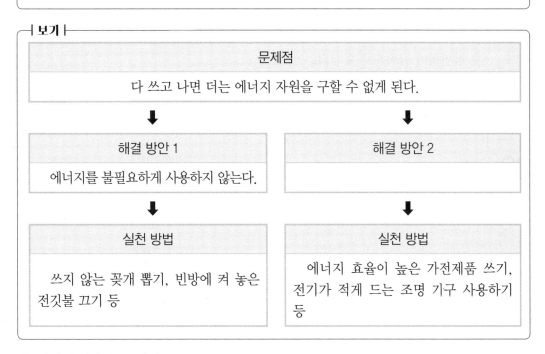

┤ 보기 ├

문제점
다 쓰고 나면 더는 에너지 자원을 구할 수 없게 된다.

해결 방안 1	해결 방안 2
에너지를 불필요하게 사용하지 않는다.	

실천 방법	실천 방법
쓰지 않는 꽂개 뽑기, 빈방에 켜 놓은 전깃불 끄기 등	에너지 효율이 높은 가전제품 쓰기, 전기가 적게 드는 조명 기구 사용하기 등

① 에너지 사용을 줄인다.
② 전기 제품 사용을 금지한다.
③ 에너지 절약에 대한 캠페인을 한다.
④ 다른 나라에서 에너지를 수입해 온다.
⑤ 에너지를 많이 소비하는 제품을 사용한다.

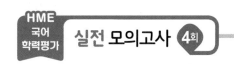

[07~08] 다음 글을 읽고 물음에 답하시오.

> 하루 중 많은 시간을 스마트폰을 보며 지내는 사람들이 늘면서 스마트폰 중독이 사회 문제로 떠오르고 있습니다. 특히 어린이들의 스마트폰 의존도가 꾸준히 높아지고 있어 우려의 목소리가 커지고 있습니다.
>
> 스마트폰 중독은 안전을 위협합니다. 스마트폰에 정신을 쏟은 채 길을 걷다 차와 부딪치거나 맨홀에 빠지는 등 스마트폰으로 인한 안전사고가 늘고 있습니다.
>
> 또 스마트폰을 과하게 사용하면 두통이나 어지럼증을 일으킨다는 연구 결과가 있습니다. 스마트폰 사용 중 노출되는 전자파가 수면을 돕는 호르몬을 감소시켜 수면에도 방해가 된다고 합니다.
>
> 스마트폰 중독은 우울증이나 스트레스를 일으키며 정신적으로도 좋지 않은 영향을 미칩니다. 스마트폰의 사용으로 직접적인 인간관계가 줄어들기 때문입니다.

07 위 글에 나타나 있는 문제 상황은? .... ( )

① 스마트폰 중독 문제
② 불량 식품 섭취 문제
③ 학교 앞 불법 주차 문제
④ 학생들의 운동 부족 문제
⑤ 전염병이 급속도로 확산되는 문제

08 다음 자료가 뒷받침하는 내용은? .... ( )

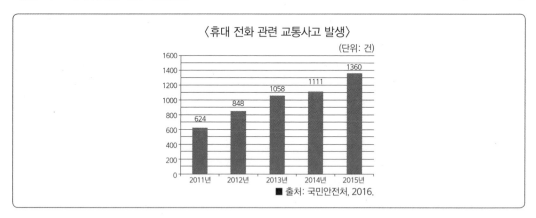

〈휴대 전화 관련 교통사고 발생〉

① 스마트폰 중독은 안전을 위협한다.
② 스마트폰을 사용하면 수면에 방해가 된다.
③ 스마트폰을 사용하면 학교 성적이 떨어진다.
④ 스마트폰 사용으로 직접적인 인간관계가 줄어든다.
⑤ 스마트폰을 과하게 사용하면 두통이나 어지럼증을 일으킨다.

저는 [㉠]고 생각합니다. 그 까닭은 첫째, 동물원은 우리에게 큰 즐거움을 줍니다. 3000년 전에 이미 동물원을 만들었을 만큼 사람은 동물을 좋아하고 가까이해 왔습니다. 동물원에서는 쉽게 만날 수 없는 동물을 가까이에서 볼 수 있는데, 열대 지역에 사는 사자나 극지방에 사는 북극곰도 쉽게 만날 수 있습니다. 서울 동물원에만 한 해 평균 350만 명이 방문한다고 합니다. 이렇게 많은 사람이 동물원을 좋아하고 동물원에서 즐거움을 느낍니다. 둘째, 동물원은 동물을 보호해 줍니다. 야생에서는 약한 동물이 더 강한 동물에게 공격당하거나 먹이가 없어 굶어 죽기도 합니다. 동물원은 자유를 제한하더라도 먹이와 안전을 보장하기 때문에 동물에게 훨씬 이롭습니다. 최근에는 친환경 동물원으로 탈바꿈하는 곳도 많습니다. 동물들이 지내는 환경을 개선하면 동물원은 사람에게도, 동물에게도 이로운 곳입니다.

09 ㉠에 들어갈 글쓴이의 의견으로 알맞은 것은? ·································· ( )

① 동물원을 없애야 한다
② 동물원이 있어야 한다
③ 동물원이 도심지에 있어야 한다
④ 버려진 동물에 대한 관심이 필요하다
⑤ 동물에 관련된 텔레비전 프로그램이 많아져야 한다

10 보기는 글쓴이의 의견에 대하여 친구들이 나눈 대화입니다. 글쓴이의 의견에 찬성하는 사람은? ·································· ( )

┤ 보기 ├
민준: 동물원은 그 지역의 경제에 도움을 줄 수도 있어.
태익: 멸종 위기에 처한 동물은 사람들의 보호를 받아야 해.
연지: 아무리 동물원을 잘 만들어도 동물들이 원래 살던 곳을 대신할 수는 없어.
호연: 동물원은 동물의 자유를 구속하고, 동물에게 사람의 구경거리가 되는 고통을 줘.

① 민준, 연지
② 태익, 연지
③ 민준, 태익
④ 태익, 호연
⑤ 연지, 호연

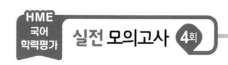

11 다음 글의 내용을 사실과 의견으로 알맞게 구별한 것은? ·········· (   )

장영실은 조선 세종 때 살았던 사람입니다. ㉠장영실은 천체의 움직임과 그 위치를 측정하는 기구인 간의와 혼천의를 만들었고, 시간을 알려 주는 기구인 자격루를 만들었습니다.

장영실은 어렸을 때부터 손재주가 있어 집 안 물건들을 깨끗이 다듬기도 하고, 장난감을 스스로 만들기도 했습니다. ㉡저도 장난감을 만들어 가지고 노는 것을 좋아해서 장영실과 아주 비슷하다고 생각했습니다. 저도 장영실처럼 발명을 잘하는 것 같아서 기분이 좋았습니다.

관가에 노비로 들어온 장영실은 이른 아침부터 늦은 밤까지 심부름을 했습니다. 힘들 때마다 장영실은 커서 세상에 필요한 사람이 되겠다는 다짐을 했다고 합니다. ㉢제가 만약 장영실이라면 일하기가 너무 힘들고 노비로 살기 싫어서 도망쳤을 것 같습니다. 하지만 ㉣장영실은 오히려 어머니를 걱정했다고 합니다. 장영실의 마음가짐을 알고 나니 힘든 일을 피해 가려고 생각했던 제가 부끄러웠습니다.

㉤지혜롭고 남을 배려해 주는 장영실처럼 저도 이 세상에 필요한 사람이 되어야겠습니다.

	사실	의견
①	㉠, ㉡	㉢, ㉣, ㉤
②	㉢, ㉣	㉠, ㉡, ㉤
③	㉠, ㉣	㉡, ㉢, ㉤
④	㉡, ㉣, ㉤	㉠, ㉢
⑤	㉠, ㉢, ㉣	㉡, ㉤

사회자: 지금까지 나온 의견에서 실천 내용을 정해도 되겠습니까?

회의 참여자들: 네, 좋습니다.

사회자: 먼저, "안전 게시판을 만들자."를 실천 내용으로 정하는 것에 찬성하시는 분은 손을 들어 주십시오.

　27명 가운데 21명이 찬성했습니다.

　다음, "안전 지킴이 활동을 하자."를 실천 내용으로 정하는 것에 찬성하시는 분은 손을 들어 주십시오.

　27명 가운데 9명이 찬성했으므로 실천 내용으로 채택하지 않겠습니다.

　마지막으로, "안전한 생활을 위한 벌점 제도를 만들자."를 실천 내용으로 정하는 것에 찬성하시는 분은 손을 들어 주십시오.

　28명 가운데 12명이 찬성했습니다.

기록자: (　　　㉠　　　)

12 학급 회의 절차 중 어떤 절차를 하는 장면인지 알맞은 것은? ·········· (　　　)

① 개회　　　　　　　　② 주제 선정

③ 주제 토의　　　　　　④ 표결

⑤ 결과 발표

13 ㉠에 들어갈, 기록자의 역할로 알맞은 것은? ·········· (　　　)

① 의견을 결정한다.

② 말할 기회를 준다.

③ 회의 절차를 안내한다.

④ 의견과 근거를 발표한다.

⑤ 칠판이나 회의록에 내용을 기록한다.

[14~15] 다음 글을 읽고 물음에 답하시오.

옛날에 중국이 여러 나라로 갈라져 서로 다툴 때였어요. 연나라는 제나라, 조나라와 국경을 맞대고 있었는데 두 나라의 위협을 받고 있었어요. 연나라는 제나라와 전쟁을 하고 있었는데 흉년까지 들게 되었어요. 이때를 틈타 조나라가 연나라를 침략하려고 하자 연나라의 왕은 믿음직하고 지혜로운 신하 소대를 불렀어요. 소대는 조나라가 쳐들어오는 것을 막겠다고 하고 조나라로 가게 되었어요.

조나라에 간 소대는 조나라 왕에게 재미있는 이야기를 하나 해 주겠다고 했어요.

"어느 날 바닷가를 걷는데 큼직한 조개가 입을 쩍 벌리고 있었습니다. 그때 시커먼 그림자가 드리우더니 황새가 나타나서 조개의 살을 콕 쪼았고, 조개는 깜짝 놀라 입을 꽉 닫았지요. 해는 점점 타올랐지만 둘은 서로 물러서지 않았습니다. 그때 마침 물고기를 잡고 집으로 돌아가던 어부가 조개와 황새를 보더니 둘 모두 낚아채 가 버렸답니다. 조나라가 연나라를 침략하면 이웃의 진나라만 이롭게 하는 일이 될 수 있습니다."

조나라 왕은 소대의 이야기를 듣고 이야기의 속뜻을 알겠다며 조나라가 연나라를 쳐들어가는 일은 없을 것이라고 약속했어요.

14 이 이야기에 나타난 비유적 표현을 정리하였습니다. 빈칸에 들어갈 알맞은 말을 차례로 늘어놓은 것은? ·························· ( )

조개가 입을 벌리고 햇볕을 쬐고 있는데, 황새가 날아와 조개의 살을 쪼음.

↓

[   ]가 [   ]를 침략함.

① 조나라, 연나라　　　　　② 조나라, 진나라
③ 진나라, 연나라　　　　　④ 연나라, 조나라
⑤ 연나라, 진나라

15 이 이야기에서 유래된 고사성어는? ·························· ( )

① 사면초가　　　　　② 어부지리
③ 결초보은　　　　　④ 온고지신
⑤ 역지사지

[16~17] 다음 글을 읽고 물음에 답하시오.

옛날 어느 마을에 목화 장수 네 사람이 살았다. 그들은 싼 목화가 있으면 함께 사서 큰 광 속에 보관해 두었다가 값이 오르면 팔았다. 그런데 그 광에는 쥐가 많아 목화를 어지럽히기도 하고 오줌을 싸기도 했다. 목화 장수들은 궁리 끝에 광에 고양이를 기르기로 하고 똑같이 돈을 내어 고양이를 샀다. 그러고는 공동 책임을 지려고 고양이의 다리 하나씩을 각자 몫으로 정하고 보살피기로 했다.

어느 날, 고양이가 다리 하나를 다쳤다. 그 다리를 맡은 목화 장수는 고양이 다리에 산초기름을 발라 주었다. 그런데 마침 추운 겨울철이라, 아궁이 곁에서 불을 쬐던 고양이의 다리에 불이 붙고 말았다. 고양이는 얼른 시원한 광 속으로 도망을 쳐서 목화 더미 위에서 굴렀다. 순식간에 목화 더미에 불이 번져 광 속의 목화가 몽땅 타 버리고 말았다.

목화 장수 네 명은 뜻하지 않게 큰 손해를 보게 되었다. 그러자 고양이의 성한 다리를 맡았던 목화 장수 세 명이 투덜투덜 불평을 늘어 놓았다.

"이번 불은 순전히 고양이의 아픈 다리를 맡았던 저 사람 때문이야. 하필이면 불이 잘 붙는 산초기름을 발라 줄 게 뭐야?"

"맞아, 그러니 ㉮목홧값을 그 사람에게 물어 달라고 하자."

세 사람은 고양이의 아픈 다리를 맡았던 사람에게 목홧값을 물어내라고 했다. 억울한 그 목화 장수는 절대 목홧값을 물어 줄 수 없다며 큰 싸움을 벌였다.

"불이 붙은 고양이가 광으로 도망칠 때는 성한 세 다리로 도망쳤잖아? 그러니까 광에 불이 난 것은 순전히 너희가 맡은 세 다리 때문이야."

아무리 싸워도 해결이 나지 않자, 네 사람은 고을 사또를 찾아가 판결을 해 달라고 부탁했다.

16 이야기에서 일이 일어난 차례에 맞게 나열한 것은? ·········· (   )

㉠ 목화 장수들의 광에 쥐가 많았다.
㉡ 목화 장수들의 광에 불이 나서 목화가 탔다.
㉢ 목화 장수들은 똑같이 돈을 내어 고양이를 샀다.
㉣ 목화 장수들은 고을 사또를 찾아가 판결을 해 달라고 부탁했다.

① ㉠ → ㉡ → ㉢ → ㉣   ② ㉠ → ㉢ → ㉡ → ㉣
③ ㉢ → ㉡ → ㉣ → ㉠   ④ ㉡ → ㉣ → ㉠ → ㉣
⑤ ㉠ → ㉡ → ㉣ → ㉢

17 ㉮와 같은 짜임으로 만들어진 낱말이 아닌 것은? ·········· (·   )

① 촛불   ② 옷걸이
③ 빗물   ④ 뒷자리
⑤ 나뭇가지

[18~19] 다음 글을 읽고 물음에 답하시오.

동글동글한 돌들이 많이 모여 있는 냇가에 잠시 내려앉았어요. 방죽을 따라 어린 여자아이가 엄마와 손을 잡고 걸어오고 있었어요. 둘 다 피부 색깔이 까무잡잡했어요. 우리나라 말로 대화를 하는 것을 보니까 아마 동남아에서 온 다문화 가족인가 봐요.

반가운 마음에 내가 들길을 올려다보며 "까악" 하고 소리쳤어요. 흠칫 나를 쳐다보던 여자아이가 갑자기 몸을 돌려 엄마 품에 매달리며 말했어요.

㉠"엄마! 무서워!"

그러자 엄마는 "호호호" 소리 내어 웃으며 여자아이의 어깨를 토닥거려 주었어요. 그리고 소곤거리며 서로 말을 주고받았어요.

"까마귀는 무서운 새가 아니야. 엄마 고향에서는 사람과 가장 가까운 새야. 해마다 까마귀 축제를 열기도 하는걸."

"까치처럼 예쁘지 않잖아!"

"겉모습만 보고 평가하거나 차별을 두면 안 되는 것이야. 예쁘지 않은 꽃이 없고 귀하지 않은 사람이 없는 것처럼 모두 자기 나름대로 이 세상에 태어난 이유가 있는 것이지."

"그래도 새까매서 싫어!"

"너도 엄마를 닮아 얼굴이 거무스름하지만 친구들이 자기와 다르다고 놀리거나 따돌리지 않잖니. 눈에 보이는 것이 전부는 아니란다. 중요한 것은 그 사람의 착한 마음과 태도가 아니겠니?"

「날자! 날아라, 까마귀」 허정진

18 여자아이가 ㉠과 같이 까마귀를 무서워한 까닭은? ·········· (   )

① 한국에서 잘 볼 수 없는 새라서
② 다른 친구들이 까마귀를 무서워해서
③ 까마귀의 나는 모습이 위협적이라서
④ 까마귀의 모습이 까맣고 예쁘지 않아서
⑤ 엄마의 고향에서 자주 볼 수 있는 새라서

19 이 글의 글쓴이가 이야기를 통해 전하고자 하는 생각은? ········· (   )

① 여행을 많이 다닐수록 좋다.
② 동물을 해치지 말아야 한다.
③ 웃어른의 말에 대꾸를 하지 말아야 한다.
④ 소음을 내어서 이웃에 피해를 끼치면 안 된다.
⑤ 겉모습만 보고 다른 사람을 평가하면 안 된다.

[20~21] 다음 시를 읽고 물음에 답하시오.

지하 주차장

김현욱

지하 주차장으로
차 가지러 내려간 아빠
한참 만에
차 몰고 나와 한다는 말이

ⓐ 내려가고 내려가고 또 내려갔는데 글쎄, 계속 지하로 계단이 있는 거야! 그러다 아이쿠, 발을 헛디뎠는데 아아아…… 이상한 나라의 앨리스처럼 깊은 동굴 속으로 끝없이 떨어지지 않겠니? 정신을 차려 보니까 호빗이 사는 마을이었어. 호박처럼 생긴 집들이 미로처럼 뒤엉켜 있는데 갑자기 흰머리 간달프가 나타나 말하더구나. 이 새 자동차가 네 자동차냐? 내가 말했지. 아닙니다, 제 자동차는 10년 다 된 고물 자동차입니다. 오호, 정직한 사람이구나. 이 새 자동차를…….

에이, 아빠!
차 어디에 세워 놨는지 몰라서 그랬죠?
차 찾느라 온 지하 주차장 헤매고 다닌 거
다 알아요.
피이!

---

20 ㉠이 나타내는 내용은? ···(   )

① 아빠가 어젯밤에 꾼 꿈의 내용
② 아빠가 아이와 함께 본 영화의 내용
③ 아빠가 가장 재미있게 읽은 책의 내용
④ 아빠가 지하 주차장에서 실제로 겪은 일
⑤ 아빠가 차를 찾느라 늦게 올라와서 아이에게 한 변명

21 시 속 인물과 면담하며 느낌을 떠올려 보기 위해 면담 대상을 다음과 같이 정하였을 때 알맞은 질문을 한 사람은? ···(   )

면담 대상	아빠	질문	민서: 왜 이야기를 지어낸 것인가요? 유리: 기다리는 동안 어떤 생각을 했습니까? 정선: 지하 주차장에서 겪었다는 일이 정말입니까?

① 민서   ② 유리   ③ 정선
④ 민서, 정선   ⑤ 유리, 정선

22 다음 얼굴과 관련된 관용 표현의 뜻이 알맞지 <u>않은</u> 것은? ·········· ( )

	관용 표현	뜻
①	머리를 맞대다	어떤 일을 의논하거나 결정하기 위해 서로 마주 대하다.
②	눈 깜짝할 사이	매우 짧은 순간.
③	귀에 못이 박히다	같은 말을 여러 번 듣다.
④	입이 무겁다	말수가 적거나 아는 얘기를 함부로 옮기지 않다.
⑤	손이 맵다	씀씀이가 후하고 크다.

23 다음 밑줄 그은 방언을 표준어로 알맞게 고쳐 쓰지 <u>못한</u> 것은? ·········· ( )

① 간식으로 <u>옥수꾸</u>를 삶아 먹었다.
　　　→ 옥수수
② 비 오는 날 <u>정구지</u>로 전을 부쳐 먹었다.
　　　→ 김치
③ 점심을 먹고 나서 <u>딸꾸기</u>가 멈추지 않는다.
　　　→ 딸꾹질
④ 식탁 위 <u>바구미</u>에 과일이 여러 개 들어 있다.
　　　→ 바구니
⑤ 어머니께서는 화단 <u>가생이</u>에 꽃을 가득 심으셨다.
　　　→ 가장자리

24 다음 빈칸에 들어갈 수량의 단위를 나타내는 말을 순서대로 늘어놓은 것은? ⋯⋯⋯ (　　　)

> 옷 한 ☐, 배추 한 ☐, 집 한 ☐

① 벌, 손, 대
② 개, 켤레, 권
③ 장, 포기, 개
④ 벌, 포기, 채
⑤ 짝, 자루, 척

25 다음 중 문장의 종류가 | 보기 |와 같은 문장은? ⋯⋯⋯⋯⋯⋯⋯⋯⋯⋯⋯ (　　　)

┤ 보기 ├
　수업이 다 끝나고 집에 같이 가자.

① 밖에 비가 오니?
② 우리가 이겼어요.
③ 꽃이 참 아름답구나!
④ 일어나서 밥 먹어라.
⑤ 운동장에서 달리기하자.

26 | 보기 |의 내용을 참고하여 다음 밑줄 그은 낱말의 받침 'ㄺ'의 소리가 나머지와 <u>다른</u> 하나는?
( )

┤ 보기 ├

겹받침 'ㄺ'이 뒤에 오는 자음자와 만나면 [ㄱ]만 소리 납니다. 그러나 겹받침 'ㄺ' 뒤에 'ㄱ'으로 시작하는 글자가 붙으면 [ㄹ]로 소리 납니다.

① 달이 참 <u>밝지</u> 않니?
② 물이 참 <u>맑기</u>도 하구나.
③ 찰흙 반죽이 <u>묽고</u> 부드럽다.
④ 저녁 하늘이 <u>붉게</u> 물들었다.
⑤ 글이 너무 길어서 <u>읽기</u> 힘들다.

27 다음 문장을 바르게 고쳐 쓸 때에 사용해야 할 교정 부호는? ( )

나는 책 중에서 동화책을 가장좋아한다.

① ⌒   ② ∨
③ ＿／   ④ ♀
⑤ ○

28 다음 글을 고쳐 쓰려고 할 때 삭제하는 것이 좋은 문장은? ································· (   )

> ㉠고운 말을 사용하면 서로 존중하는 마음을 전할 수 있다. ㉡흔히 말이 눈에 보이지 않는 마음임을 표현할 때 "말은 마음의 거울"이라는 격언을 사용한다. ㉢고운 말을 사용해야 하는 것은 어린이만이 아니다. ㉣존중하는 마음이 없다면 고운 말도 나오지 않는다. ㉤다른 사람을 존중하는 마음을 전할 수 있는 고운 말을 사용하는 바른 언어 습관을 기르려고 노력하자.

① ㉠   ② ㉡   ③ ㉢   ④ ㉣   ⑤ ㉤

29 주장하는 글을 쓰기 위해 내용을 정리한 다음 표에서 빈칸에 들어갈 내용으로 알맞지 <u>않은</u> 것은? ··· (   )

서론	요즘 햄버거나 피자 등 우리 전통 음식보다 외국에서 유래한 음식을 좋아하는 사람이 많다.
본론	
결론	우리 전통 음식을 사랑하고 발전시키자.

① 우리 전통 음식은 건강에 이롭다.
② 우리 전통 음식에는 우리 조상의 문화가 깃들어 있다.
③ 우리 전통 음식에서 우리 조상의 슬기를 찾을 수 있다.
④ 우리 전통 음식과 비슷한 음식을 외국에서도 찾을 수 있다.
⑤ 우리 전통 음식을 가까이하면 계절과 지역에 따라 다양한 맛을 즐길 수 있다.

30 다음 그림에 나타난 문제 상황을 보고 제안하는 글을 쓸 때 제안으로 가장 알맞은 것은?

( )

① 횡단보도를 건널 때 좌우를 살핍시다.

② 비가 오는 날에는 밝은 색 옷을 입읍시다.

③ 학교 앞 차도에서 과속을 하지 말아 주세요.

④ 휴대 전화를 사용할 때 대화 예절을 지킵시다.

⑤ 휴대 전화 하루 사용 시간을 미리 정하여 계획적으로 사용합시다.

HME 해법국어 학력평가

학 교 명 :

성 명 :

현재 학년 :　　　　　　　반 :

OMR카드 작성 시 유의사항

1. 학교명, 성명, 학년, 반, 수험 번호, 생년월일, 성별 기재
2. 반드시 원 안에 "● 와 같이 마킹해야 합니다.
3. OMR카드에 답안 이외에 낙서 등 손상이 있는 경우 즉시 감독관에게 문의하시기 바랍니다.
4. 답을 작성하고 마킹을 하지 않는 경우 오답으로 간주합니다.
5. 답안은 작성 후 반드시 감독관에게 제출해야 합니다.
   제출하지 않아 발생하는 사고에 대해서는 책임지지 않습니다.

※ OMR카드를 잘못 작성하여 발생한 성적 결과는 책임지지 않습니다.

※ OMR카드 작성 예시 ※

※ 30문항 모두 객관식 문제입니다. 정답에 해당하는 보기 숫자에 정확하게 마킹을 하셔야 합니다.

※ 1번 문항이 답이 3번인 경우, 맞게 마킹한 예시

1	①	②	●	④	⑤

〈보기〉

바른 표기: ●

틀린 표기: ⓥ ⊗ ◖ ◗ ● ◉ ③

답 란

1	① ② ③ ④ ⑤
2	① ② ③ ④ ⑤
3	① ② ③ ④ ⑤
4	① ② ③ ④ ⑤
5	① ② ③ ④ ⑤
6	① ② ③ ④ ⑤
7	① ② ③ ④ ⑤
8	① ② ③ ④ ⑤
9	① ② ③ ④ ⑤
10	① ② ③ ④ ⑤
11	① ② ③ ④ ⑤
12	① ② ③ ④ ⑤
13	① ② ③ ④ ⑤
14	① ② ③ ④ ⑤
15	① ② ③ ④ ⑤
16	① ② ③ ④ ⑤
17	① ② ③ ④ ⑤
18	① ② ③ ④ ⑤
19	① ② ③ ④ ⑤
20	① ② ③ ④ ⑤
21	① ② ③ ④ ⑤
22	① ② ③ ④ ⑤
23	① ② ③ ④ ⑤
24	① ② ③ ④ ⑤
25	① ② ③ ④ ⑤
26	① ② ③ ④ ⑤
27	① ② ③ ④ ⑤
28	① ② ③ ④ ⑤
29	① ② ③ ④ ⑤
30	① ② ③ ④ ⑤

수 험 번 호

(1) ⓪①②③④⑤⑥⑦⑧⑨

(2) ⓪①②③④⑤⑥⑦⑧⑨

※ (1)번 란에는 이래에야 숫자를 쓰고, (2)번 란에는 해당란에 까맣게 표기해야 합니다.

생 년 월 일 / 성 별

남 ○　여 ○

(1) ⓪①②③④⑤⑥⑦⑧⑨

(2) ⓪①②③④⑤⑥⑦⑧⑨

(예시) 2012년 3월 2일생인 경우, (1)번 란에는 년, 월, 일 네 빈칸에 12 03 02 를 쓰고, (2)번 란에는 그 숫자를 마킹합니다.

감 독 관 란

감독학인

기초 학습능력 강화 프로그램

2022년 신간

매일 조금씩 **공부력** UP

똑똑한 하루
독해&어휘

쉽다!

10분이면 하루치 공부를 마칠 수 있는
커리큘럼으로, 아이들이 쉽고 재미있게
독해&어휘에 접근할 수 있도록 구성

재미있다!

교과서는 물론 생활 속에서 쉽게
접할 수 있는 다양한 소재를 활용해
흥미로운 학습 유도

똑똑하다!

초등학생에게 꼭 필요한 상식과 함께
창의적 사고력 확장을 돕는
게임 형식의 구성으로 독해력&어휘력 학습

공부의 핵심은 독해!
예비초~초6, A/B, 총 14권

독해의 시작은 어휘!
예비초~초6, A/B, 총 14권

#차원이_다른_클라쓰
#강의전문교재
#초등교재

수학교재

● 수학리더 시리즈

– 개념 수학리더	1~6학년/학기별
– 기본 수학리더	1~6학년/학기별
– 응용 수학리더	1~6학년/학기별

● 닥터유형	1~6학년/학기별
● 수학도 독해가 힘이다	1~6학년/학기별

● 수학의 힘 시리즈

– 실력 수학의 힘(알파)	3~6학년/학기별
– 유형 수학의 힘(베타)	1~6학년/학기별
– 최상위 수학의 힘(감마)	1~6학년/학기별

● Go! 매쓰 시리즈

– Go! 매쓰(Start) *교과서 개념	3~6학년/학기별
– Go! 매쓰(Run A/B/C) *교과서+사고력	1~6학년/학기별
– Go! 매쓰(Jump) *유형 사고력	1~6학년/학기별

● 계산박사	1~12단계

전과목교재

● 리더 시리즈

– 국어	1~6학년/학기별
– 사회	3~6학년/학기별
– 과학	3~6학년/학기별

시험 대비교재

● 해법수학 단원마스터	1~6학년/학기별
● HME 수학 학력평가	1~6학년/상·하반기용
● HME 국어 학력평가	1~6학년

Haebub Measurement and Evaluation of korean

HME 국어 학력평가는

매년 전국 단위로 실시하는 국어 학력평가로,
독해, 어휘, 문법 등의 국어 기초 능력과 학년별 국어 학습 성취도를 평가하는
시험입니다. 전국 단위의 평가로 진행되어 학생들의 국어 학습 수준과 성취도를
객관적으로 평가 받을 수 있습니다.

HME 국어 학력평가

초등

정답과 해설

4
학년

천재교육

정답과 해설
포인트 4가지

▶ 혼자서도 이해할 수 있는 친절한 문제 풀이

▶ 헷갈리는 보기는 〈왜 틀렸을까?〉에서 보다 자세히 설명

▶ 유형별 문항을 푸는 요령과 답안 선택 시 주의할 점 제시

▶ 출제 문항에서 꼭 알아야 할 국어 지식과 학습 개념 꼼꼼 정리

HME 국어 학력평가 정답과 풀이 차례

대표 유형 문제

- 듣기 • 말하기 ································· 2
- 읽기 ···································· 3
- 쓰기 ···································· 5
- 문법 ···································· 6
- 문학 ···································· 7
- 어휘 ···································· 8

실전 모의고사

- 1회 ···································· 9
- 2회 ···································· 13
- 3회 ···································· 17
- 4회 ···································· 21

정답과 풀이

문항 번호	정답	유형	평가 내용	난이도	제재
1	⑤	사실	안내 방송을 듣고 내용 파악하기	보통	안내 방송
2	⑤	사실	안내 방송을 듣고 내용 파악하기	쉬움	안내 방송
3	⑤	추론	상황에 알맞은 말투 추론하기	보통	
4	④	추론	대화 장면에 어울리는 인물의 말 추론하기	보통	
5	③	비판·감상	학급 회의에서 주제에 알맞은 의견 파악하기	보통	대화문
6	④	비판·감상	학급 회의에서 의견의 타당성 평가하기	보통	
7	④	생성·조직	알맞은 학급 회의 주제 알기	어려움	
8	④	생성·조직	알맞은 맞장구치는 말 알기	보통	

풀이

1 민속 박물관 전시 내용과 공연에 대한 안내 방송입니다.

┤ 왜 틀렸을까? ├
민속 박물관에 층별로 전시된 내용을 안내하는 것이 아니라 전체적인 민속 박물관의 전시 내용과 관람 시간, 인형극 상연 등에 대한 내용을 안내하고 있습니다.

2 관람을 원하는 사람은 오후 1시 50분까지 중앙 놀이마당으로 오라고 하였습니다.

3 그림 ㉮는 기다리던 친구가 온 상황, 그림 ㉯는 텔레비전을 계속 보고 싶은데 나갈 준비를 해야 하는 상황입니다. 그림 ㉯에서 여자아이는 아쉽고 서운한 상황이지만 화난 상황은 아닙니다.

4 민채가 해리에게 고맙다고 한 것으로 보아 기운을 북돋아 주는 말을 했을 것입니다.

5 학예회를 무슨 요일에 할지에 대한 의견과 의견에 어울리는 근거를 말한 사람은 박태민입니다.

6 은서의 의견은 학예회를 무슨 요일에 할지에 대한 의견이지만 근거가 의견을 뒷받침하지 못합니다.

7 학교에서 일어난 일이면서 모두가 관심을 보일 만한 주제는 ④가 알맞습니다.

8 민지가 극장에 가서 영화를 봤다는 말을 하였으므로 극장에 가서 영화를 본 것과 관련된 맞장구치는 말을 하는 것이 알맞습니다.

평가 개념과 도움말

5 주제에 알맞은 의견 말하기
① 여러 가지 의견과 근거를 떠올립니다.
② 회의 주제와 관련이 있는지 생각합니다.
③ 실천할 수 있는지 생각합니다.
④ 의견이 여러 사람에게 도움이 되는지 생각합니다.

8 상대의 말에 맞장구치거나 질문하며 대화하는 방법
① 상대의 마음을 헤아리며 맞장구를 쳐 줍니다.
② 궁금한 것에 대하여 질문을 합니다.

대표 유형 문제　읽기

교재 | 16 ~ 21쪽

문항 번호	정답	유형	평가 내용	난이도	제재
1	①	내용 확인	글을 읽고 중심 내용 파악하기	쉬움	설명하는 글
2	②	내용 확인	글을 읽고 중심 문장과 뒷받침 문장 구별하기	보통	설명하는 글
3	③	내용 확인	신문 기사의 내용 간추리기	보통	신문 기사
4	②	내용 확인	신문 기사를 읽고 사실과 의견 구별하기	보통	신문 기사
5	②	평가 · 감상	글을 읽고 글쓴이의 주장 파악하기	쉬움	주장하는 글
6	⑤	평가 · 감상	글쓴이의 주장이 적절한지 판단하기	보통	주장하는 글
7	⑤	평가 · 감상	광고의 내용 파악하기	보통	공익 광고
8	②	평가 · 감상	광고의 내용을 바탕으로 다른 사람의 평가 판단하기	어려움	공익 광고
9	⑤	추론	글에 들어갈 내용 추론하기	보통	정보를 주는 글
10	②	추론	글쓴이가 글을 쓴 의도 추론하기	어려움	정보를 주는 글
11	⑤	추론	글을 읽고 인물이 추구하는 삶 추론하기	보통	전기문
12	④	추론	인물이 추구하는 삶에 알맞은 행동 추론하기	보통	전기문

풀이

1 동물을 먹이에 따라 초식 동물, 육식 동물, 잡식 동물로 분류하여 설명한 글입니다.

2 ⓒ은 중심 문장, 나머지는 중심 문장의 내용을 자세하게 설명하는 뒷받침 문장입니다. 이 글에서 각 문단의 중심 문장은 각 문단의 마지막 문장입니다.

3 신문 기사는 독도의 날에 대한 소개와 함께 우리 학교에서 열리는 독도의 날 행사를 안내하는 내용입니다.

┌ 왜 틀렸을까? ┐
학교 신문은 학교에서 일어난 일이나 전해야 할 소식을 실은 신문입니다. 제시된 학교 신문 기사의 제목이 '독도의 날 행사 실시'이므로 단순히 '독도의 날'에 대한 정보보다는 '독도의 날 행사 실시'에 대한 내용이 더 중요한 내용임을 알 수 있습니다.

4 사실은 현재에 있는 일이나 실제로 있었던 일이므로 기사에서 생각이나 느낌이 들어있지 않은 내용을 골라야 합니다. 독도의 날 행사에 적극적으로 참여하여 멋진 독도 지킴이가 되자는 내용이 주요 내용입니다.

평가 개념과 도움말

2 중심 문장과 뒷받침 문장
- **중심 문장**: 문단에서 가장 중요한 문장
- **뒷받침 문장**: 중심 문장의 내용을 자세하게 설명하는 문장

3 신문 기사 제목은 짧으면서도 기사의 내용이 잘 드러나도록 씁니다. 신문 기사의 제목을 보면 기사에서 다루는 주요 내용을 파악할 수 있습니다.

4 사실과 의견
- **사실**: 현재에 있는 일이나 실제로 있었던 일
- **의견**: 그 일에 대한 생각이나 느낌

5 우리말을 지키고 아름답게 가꾸어 나가자는 글쓴이의 주장이 나타나 있습니다.

주장	우리말을 지키고 아름답게 가꾸어 나가야 한다.
근거	• 외국 말을 무분별하게 사용하다 보면 우리말이 점점 사라질 수 있다. • 어렵고 낯선 외국 말보다 아름다운 우리말이 알기도 쉽고, 우리 정서에도 알맞다.

┤ 왜 틀렸을까? ├

③ 우리 문화를 지키고 발전시키자는 내용도 관련이 있어 보이지만 구체적으로 글쓴이가 지키자고 말한 것이 무엇인지 생각해 보아야 합니다. 우리 문화 중에서도 우리말에 관한 내용만 나타나 있으므로 ②번이 정답입니다.

6 주장이 문제 상황과 관련이 있고, 근거가 주장을 뒷받침하며 실천할 수 있는 내용이므로 글쓴이의 주장과 근거는 적절하다고 판단할 수 있습니다.

7 고운 말을 사용하면 서로를 이해할 수 있고 친절하게 서로를 대할 수 있다는 내용입니다. 음식점, 버스, 유원지에서만 고운 말을 쓰자는 것이 아니라 우리의 모든 일상생활에서 고운 말을 쓰자는 내용입니다.

8 거친 말을 해야 상대가 고운 말로 답하는 것이 아니라 고운 말을 쓰자는 내용의 공익 광고이므로 ②가 알맞습니다.

9 ㉠에는 파스타를 크고 깊은 냄비에 삶아야 하는 까닭이 들어가야 하기 때문에 파스타를 크고 깊은 냄비에 삶았을 때 좋은 점과 관련이 있는 ⑤가 알맞습니다.

10 주말에 날씨가 좋고, 동물원에서 꽃 전시회가 열린다는 내용을 전하면서 동물원에 가자는 말을 전하고 싶다는 것을 알 수 있습니다.

┤ 왜 틀렸을까? ├

① 뉴스에서 본 내용을 알려 드리려고 편지를 쓴다는 것은 표면적인 까닭입니다. 주말에 날씨가 좋고, 동물원에서 꽃 전시회가 열린다는 내용, 꽃과 동물을 보면 기분이 좋아질 것이라는 내용 등으로 미루어보아 정린이는 동물원에 가자는 말을 전하려는 의도로 편지를 썼음을 알 수 있습니다.

11 헬렌 켈러는 장애가 있지만 글을 배우기 위해 아침 일찍 일어나서 글자를 쓰기 시작하고 하루 종일 글을 쓰는 연습을 했습니다. 이러한 행동을 통해 끊임없이 노력하는 삶을 추구한다는 것을 알 수 있습니다.

12 헬렌 켈러는 포기하지 않고 노력하는 삶을 추구하기 때문에 자신도 말할 수 있다는 희망을 가지고 말하기 위해 끊임없이 노력했을 것이라고 짐작할 수 있습니다.

5 주장하는 글의 짜임

서론	글을 쓰게 된 문제 상황과 글쓴이의 주장을 밝힙니다.
본론	글쓴이의 주장에 대한 적절한 근거를 제시합니다.
결론	글의 내용을 요약하고 주장을 다시 한번 강조합니다.

11 인물이 추구하는 삶을 파악하는 방법
① 인물이 처한 상황을 떠올려 봅니다.
② 인물이 처한 상황에서 인물이 한 말과 행동을 알아봅니다.
③ 인물이 처한 상황에서 그렇게 말하고 행동한 까닭을 생각하여 봅니다.

대표 유형 문제 | 쓰기

문항 번호	정답	유형	평가 내용	난이도	제재
1	⑤	내용 생성	주제에 알맞게 쓸 내용 떠올리기	쉬움	
2	③	내용 생성	주제에 알맞게 쓸 내용 떠올리기	보통	설명하는 글
3	⑤	내용 조직	주장하는 글의 내용 조직하기	보통	
4	②	내용 조직	주장하는 글을 쓸 때 알맞은 자료 알기	어려움	
5	⑤	표현·고쳐쓰기	제안하는 글을 쓸 때 알맞은 표현 알기	보통	제안하는 글
6	⑤	표현·고쳐쓰기	마음을 전하는 글을 쓸 때 알맞은 표현 알기	보통	쪽지 글

풀이

1 동물 실험의 효과나 도덕성 등의 내용을 떠올려야 하는데 ⑤는 반려동물 등록제에 대한 내용이므로 알맞지 않습니다.

> ┤ 왜 틀렸을까? ├
> 동물 실험은 의약품이나 화장품을 만들 때 동물을 대상으로 실험하는 것으로 그 효과나 도덕성의 문제로 찬성과 반대 의견이 있을 수 있습니다. ⑤는 반려동물로 기르는 개를 구청 등에 등록해야 한다는 것으로 동물 실험과는 관련이 없는 내용입니다.

2 '컬러 푸드'를 설명하는 글을 쓸 때에는 '컬러 푸드'의 뜻이나 종류, 활용 방법 등에 대하여 쓰는 것이 좋습니다. 색깔이 사람의 마음에 미치는 영향은 컬러 푸드와 관련이 없으므로 알맞지 않습니다.

3 제시된 표를 통해 초등학생의 스마트폰 이용 시간을 제한하지 말아야 한다는 주장을 찾을 수 있습니다. 본론에는 주장을 뒷받침하는 근거가 들어가야 하기 때문에 초등학생이 스마트폰을 이용하는 것에 대한 장점을 근거로 드는 것이 알맞습니다.

4 스마트폰을 이용하는 시간을 제한하지 말아야 한다는 주장과 근거를 뒷받침할 수 있는 자료로는 ②가 알맞습니다. 나머지는 초등학생의 스마트폰 이용 시간을 제한해야 한다는 주장을 뒷받침할 수 있는 자료입니다.

5 문구점에 있는 물건에 가격표가 붙어 있지 않아서 불편한 문제 상황이 나타나 있으므로 물건에 가격표를 붙이자는 제안이 들어가야 합니다. 제안을 쓸 때에는 "합시다.", "~하면 좋겠습니다.", "~하면 어떨까요?"와 같은 표현을 사용해야 합니다.

6 읽는 사람의 마음을 생각하며 부탁이나 당부의 글을 쓰는 것이 좋습니다.

평가 개념과 도움말

3 근거의 적절성을 판단할 때 생각할 점
- 주장과 관련이 있는가?
- 주장을 뒷받침하는가?
- 많은 사람이 동의할 수 있는가?

4 자료의 타당성을 판단할 때 생각할 점
- 근거를 잘 뒷받침하는가?
- 출처가 믿을 만한가?
- 객관적인 자료인가?
- 최신의 자료인가?

5 제안하는 글을 쓸 때 알맞은 표현

제안	"합시다.", "~하면 좋겠습니다.", "~하면 어떨까요?"
까닭	"~하기 때문입니다.", "~하면 ~할 수 있습니다."

정답과 풀이

대표 유형 문제 문법

문항 번호	정답	유형	평가 내용	난이도
1	③	문장 · 담화	상황에 알맞은 높임 표현 알기	보통
2	④	문장 · 담화	높임 표현을 사용하는 방법 알기	보통
3	③	발음 · 표기 · 규범	낱말의 뜻을 국어사전에서 찾는 방법 알기	보통
4	④	발음 · 표기 · 규범	문장의 짜임 알기	어려움
5	①	발음 · 표기 · 규범	낱말의 짜임 알기	보통
6	②	발음 · 표기 · 규범	낱말을 소리 나는 대로 읽기	쉬움
7	①	발음 · 표기 · 규범	문장을 바르게 띄어쓰기	어려움

풀이

1 웃어른께는 '생일' 대신 '생신', '병' 대신 '병환' 등과 같이 높임의 뜻이 있는 특별한 낱말을 써야 합니다. ⓒ에는 '말' 대신 '말씀'을 써야 합니다.

2 '도와주다' 대신 '도와드리다'를 써서 고쳐 써야 합니다.

> ┤ 왜 틀렸을까? ├
> '도와주다'는 높임의 뜻이 있는 낱말인 '도와드리다'로 고쳐 쓰고, '갈게요'는 그대로 써야 합니다. '갈게요'의 주체는 민주 자신이므로 '가실게요'로 고쳐 쓰면 자기 자신을 높이는 표현이 되어 바르지 않은 표현이 됩니다.

3 낱말의 여러 가지 형태를 생각해 보고 변하지 않는 부분에 '-다'를 붙여 기본형을 만듭니다. '잡아먹는다'의 기본형은 '잡아먹다'입니다.

> ┤ 왜 틀렸을까? ├
> ⓒ은 '잡아먹는다', '잡아먹고', '잡아먹지', '잡아먹는' 등으로 형태가 변하기 때문에 형태가 변하지 않는 부분은 '잡아먹'입니다. '잡아먹'에 '-다'를 붙인 '잡아먹다'가 기본형입니다.

4 '혜정이가'는 '누가'에 해당하고, '바로 제 친구입니다'는 '무엇이다'에 해당됩니다. ⑤에서 '우리 반 예지는'은 '누가'에 해당하고, '항상 친절합니다.'는 '어떠하다'에 해당하기 때문에 제시된 문장과 짜임이 다릅니다.

5 '김밥'은 '김'과 '밥'을 합쳐서 만든 낱말입니다.

6 어떤 받침은 소리가 나고 어떤 받침은 소리가 나지 않습니다. '좋아요'에 있는 받침 'ㅎ'은 소리가 나지 않아서 [조아요]로 발음됩니다.

7 ②는 '마실 것', ③은 '할 수 있어요', ④는 '그럴 수도', ⑤는 '하는 수 없이'로 띄어 써야 합니다.

평가 개념과 도움말

1 높임의 뜻이 있는 낱말 예

예사말	높임 표현
집	댁
밥	진지
먹다	잡수시다
자다	주무시다

6 받침 'ㅎ'의 발음

- 'ㅎ(ㄶ, ㅀ)' 뒤에 'ㄱ, ㄷ, ㅈ'이 이어질 때 뒤 음절 첫 소리와 합쳐서 [ㅋ, ㅌ, ㅊ]으로 발음합니다.
- 'ㅎ(ㄶ, ㅀ)' 뒤에 'ㅅ'이 이어질 때 'ㅅ'을 [ㅆ]으로 발음합니다.
- 'ㅎ' 뒤에 'ㄴ'이 이어질 때 [ㄴ]으로 발음합니다.
- 'ㅎ(ㄶ, ㅀ)' 뒤에 모음이 이어질 때 'ㅎ'을 발음하지 않습니다.

대표 유형 문제 　문학

문항 번호	정답	유형	평가 내용	난이도	제재
1	②	지식	이야기를 읽고 갈등 파악하기	보통	이야기
2	①	지식	이야기를 읽고 배경 파악하기	보통	이야기
3	④	수용과 생산	이야기를 읽고 인물의 성격 파악하기	보통	이야기
4	③	수용과 생산	이야기에 이어질 내용 짐작하기	어려움	이야기

풀이

1 사라가 버스 앞자리에 앉은 일로 운전사와의 갈등이 시작되었습니다. 사라가 아주머니에게 버스 뒷자리로 돌아가라고 한 것이 아니라, 아주머니가 사라에게 뒷자리로 돌아가라고 하였습니다.

┤ 왜 틀렸을까? ├
제시된 이야기에서 버스 운전사와 백인 아주머니는 사라의 자리가 버스 뒷자리라고 말했습니다. 당시에 버스 앞쪽 자리에는 백인만 앉을 수 있었고, 흑인은 버스 뒷자리에 앉도록 하는 법이 있었습니다. 버스 운전사와 백인 아주머니의 말을 통해 사라는 흑인이었고, 앞자리에 앉지 못하는 상황이었음을 알 수 있습니다.

2 언제, 어디에서 일어난 일인지 알 수 있는 말을 찾아봅니다. 제시된 글에서는 '어느 날 아침'이 시간적 배경을 나타내는 말이고 '버스'가 공간적 배경을 나타내는 말입니다.

┤ 왜 틀렸을까? ├
제시된 이야기에 나타난 구성 요소를 살펴봅니다. '인물'은 사라, 백인 아주머니, 버스 운전사이고, '사건'은 사라가 버스 앞자리에 앉아서 버스 운전사가 화를 낸 것입니다.

3 아픈 새끼 고양이를 걱정하여 미나를 찾아간 행동과 미나에게 새끼 고양이에 대하여 한 말에서 '나'는 걱정이 많고 동점심이 많은 성격임을 파악할 수 있고, '나'가 직접 새끼 고양이를 데리고 와서 치료해 주거나 집으로 데리고 오지는 않은 행동에서 소심하고, 소극적이며 실천력이 없는 성격을 파악할 수 있습니다.

4 글 (나)에서 고양이 울음소리가 '나'를 따라다닌다는 표현은 '나'가 계속해서 고양이에게 신경을 쓴다는 뜻입니다. 이야기의 마지막에 '나'가 고양이를 걱정하는 내용이 나오므로 '나'가 고양이를 데리러 가는 내용이 이어지는 것이 자연스럽습니다.

평가 개념과 도움말

2 이야기의 구성 요소

인물	이야기에서 어떤 일을 겪는 사람이나 사물
사건	이야기에서 일어나는 일
배경	이야기가 펼쳐지는 시간과 장소

3 인물의 말이나 성격을 통해 인물의 성격을 파악할 수 있습니다.

4 이어질 내용을 짐작하는 방법
① 일이 일어난 차례를 생각하며 씁니다.
② 앞의 내용과 잘 어울리도록 내용을 씁니다.
③ 인물의 성격이나 하는 일을 생각해 씁니다.
④ 인물이 처한 상황을 고려해 이어질 이야기를 상상해서 씁니다.

대표 유형 문제 │ 어휘

교재 | 38 ~ 40쪽

문항 번호	정답	유형	평가 내용	난이도
1	③	개념	낱말의 뜻 알기	보통
2	④	개념	문장에 어울리는 흉내 내는 말 알기	쉬움
3	②	관계	낱말의 관계 알기	보통
4	④	관계	낱말의 관계 알기	보통
5	①	의미 · 확장	동형어 알기	보통
6	⑤	의미 · 확장	관용 표현의 뜻 알기	보통
7	③	의미 · 확장	상황에 어울리는 속담 알기	보통

풀이

1 '특기하다'는 '특별히 다루어 기록하다'라는 뜻입니다.

2 빈칸에는 힘없이 주저앉는 소리나 모양을 흉내 내는 말이 들어가는 것이 알맞은데 '찰랑'은 가득 찬 물 따위가 잔물결을 이루며 넘칠 듯 흔들리는 소리나 모양을 흉내 내는 말입니다.

3 세 가지 낱말 모두 포함하는 낱말을 찾아야 합니다. 바나나, 떡볶이, 만둣국 모두 '음식'에 포함되는 낱말입니다.

4 '개인'과 '단체'는 뜻이 서로 반대인 낱말입니다.

5 '타다'는 '다량의 액체에 소량의 액체나 가루 따위를 넣어 섞다.', '불이 붙어 번지거나 불꽃이 일어나다.', '탈것이나 짐승의 등 따위에 몸을 얹다.' 등의 뜻이 있습니다.

6 '눈이 동그래지다'는 놀라거나 몹시 의아하여 눈을 크게 뜬다는 뜻의 관용 표현입니다.

7 '발 없는 말이 천 리 간다'는 말은 비록 발이 없지만 천 리 밖까지도 순식간에 퍼진다는 뜻으로 말조심을 하라는 뜻입니다.

> **왜 틀렸을까?**
> ① 백지장도 맞들면 낫다: 쉬운 일이라도 협력하여 하면 훨씬 쉽다는 말.
> ② 소 잃고 외양간 고친다: 일이 이미 잘못된 뒤에는 손을 써도 소용이 없음을 비꼬는 말.
> ③ 발 없는 말이 천 리 간다: 말을 삼가야 함을 비유적으로 이르는 말.
> ④ 낫 놓고 기역 자도 모른다: 아주 무식함을 비유적으로 이르는 말.
> ⑤ 돌다리도 두들겨 보고 건너라: 잘 아는 일이라도 세심하게 주의를 하라는 말.

평가 개념과 도움말

3 낱말의 관계
① 뜻이 비슷한 낱말
   예 가족 – 식구
② 뜻이 반대인 낱말
   예 크다 – 작다
③ 포함하는 낱말과 포함되는 낱말
   예 꽃 – 장미

5 동형어: 소리가 같지만 서로 전혀 다른 뜻으로 사용되는 낱말
   예 배가 고프다.
   배를 타고 섬에 갔다.
   배가 달고 맛있다.

6 여러 가지 관용 표현

관용 표현	뜻
손이 크다	씀씀이가 후하고 크다.
발이 넓다	아는 사람이 많아 활동하는 범위가 넓다.
입을 모으다	여러 사람이 같은 의견을 말하다.
눈이 번쩍 뜨이다	정신이 갑자기 들다.

실전 모의고사　1회

문항 번호	정답	대영역	중영역	평가 내용	난이도	배점
1	⑤	듣기·말하기	생성·조직	일기 예보를 듣고 간추려 쓰기	보통	4점
2	②	듣기·말하기	사실	대화의 내용 파악하기	쉬움	3점
3	⑤	듣기·말하기	추론	대화를 듣고 인물이 행동한 까닭 추론하기	보통	3점
4	①	읽기	내용 확인	글을 읽고 중심 내용 찾기	보통	3점
5	④	읽기	내용 확인	글을 읽고 글의 내용을 사실과 의견으로 구별하기	보통	3점
6	②	읽기	추론	자료를 보고 글에 들어갈 내용 짐작하기	보통	4점
7	④	읽기	내용 확인	글을 읽고 글쓴이의 의견 파악하기	보통	3점
8	⑤	읽기	평가·감상	글에 나타난 의견의 적절성 판단하기	어려움	4점
9	①	읽기	내용 확인	글을 읽고 중심 내용 찾기	보통	3점
10	④	읽기	추론	자료의 내용을 파악하여 글에 적용하기	보통	4점
11	①	읽기	내용 확인	글의 내용 파악하기	보통	3점
12	③	어휘	관계	낱말의 관계 알기	보통	3점
13	②	읽기	내용 확인	글을 읽고 글쓴이의 의견에 대한 까닭 파악하기	보통	3점
14	③	읽기	내용 확인	신문 기사에 나타난 사실 파악하기	쉬움	3점
15	②	읽기	평가·감상	신문 기사에 나타난 사실의 의미 파악하기	보통	3점
16	②	문학	수용과 생산	인물의 행동을 통해 마음 짐작하기	보통	3점
17	①	문학	지식	감정을 나타내는 표현 알기	보통	4점
18	⑤	문학	지식	이야기의 구성 요소 파악하기	어려움	4점
19	⑤	문학	수용과 생산	이야기를 읽고 이어질 내용 짐작하기	보통	3점
20	③	문학	수용과 생산	시를 읽고 생각이나 느낌 말하기	보통	3점
21	③	문학	수용과 생산	말하는이의 마음을 떠올려 시의 일부분을 바꾸어 쓰기	쉬움	3점
22	⑤	문법	문장	문장의 짜임 알기	보통	4점
23	②	문법	문장	문장의 짜임 알기	보통	3점
24	②	문법	발음	겹받침을 바르게 발음하기	어려움	4점
25	①	쓰기	내용 생성	상황에 알맞은 제안 알기	쉬움	3점
26	⑤	쓰기	내용 조직	제안하는 글을 쓰는 방법 알기	보통	3점

27	③	쓰기	내용 조직	뒷받침 문장에 알맞은 중심 문장 알기	보통	4점
28	②	어휘	의미·확장	다의어의 뜻 알기	보통	3점
29	④	어휘	의미·확장	다의어의 뜻 알기	보통	4점
30	④	쓰기	내용 조직	떠올린 내용을 바탕으로 글의 내용 조직하기	보통	3점

풀이

1 일기 예보에서 일요일 날씨에 대한 내용을 살펴봅니다. 일요일은 산책하기 좋은 날씨로 낮 기온은 따뜻하지만 아침저녁으로는 쌀쌀한 날씨가 예상된다고 하였습니다.

2 박 노인은 고기 파는 일을 하는 사람으로 양반보다 지위가 낮았는데, 윗마을 양반은 박 노인을 '바우야'라고 불렀고, 아랫마을 양반은 '박 서방'이라고 불렀습니다.

3 윗마을 양반과 아랫마을 양반은 박 노인을 서로 다르게 불렀는데 박 노인은 아랫마을 양반이 자기를 더 존중해 준다고 느꼈을 것입니다.

4 독도에 다녀와서 한 일, 본 일, 들은 일, 생각이나 느낌에 대하여 쓴 글입니다.

5 ①, ②, ③, ⑤는 사실이고, ④는 의견입니다.

6 공정 무역은 생산자의 노동에 정당한 대가를 지불해 생산자가 경제적 자립과 발전을 하도록 돕는 무역입니다. |자료|를 보면 공정 무역에서는 중간 유통 단계를 줄여서 생산자의 이익을 보장해 준다는 것을 알 수 있습니다.

7 글의 처음에 바람직한 독서 방법에 대한 글쓴이의 의견이 나타나 있습니다.

8 바람직한 독서 방법과 편의 시설을 늘리는 것은 관계가 없기 때문에 적절하지 않다고 말한 은지의 말이 알맞습니다. 바람직한 독서 방법에 대한 의견으로는 '여러 분야의 책을 읽는 것이다.', '자신이 흥미를 느끼는 책 위주로 읽는 것이다.' 등이 알맞습니다.

9 텔레비전을 시청하면 좋은 점이 세 가지 나타나 있습니다.
텔레비전 시청의 장점
① 교육 방송 프로그램으로 부족한 공부를 하거나 더 알고 싶은 내용을 배울 수 있다.
② 뉴스와 같은 프로그램을 통하여 다양한 정보를 얻을 수 있다.
③ 오락 방송 프로그램을 보면서 여가 시간을 잘 보낼 수 있다.

10 |보기|는 기술에 발달에 대한 내용으로, 기술의 발달로 텔레비전의 교육적 가치가 더욱 커졌다고 하였습니다.

평가 개념과 도움말

5 사실과 의견 구별하기
• 사실: 실제로 있었던 일이나 지금 현재 있는 일
• 의견: 어떤 대상이나 현상에 대하여 가지는 생각

8 의견의 적절성을 평가하는 방법
① 의견이 주제에 어울리는가?
② 근거가 의견을 잘 뒷받침하는가?

11 친구 나연이가 『꿈의 다이어리』를 읽고 자신도 꿈에 대해 깊이 생각해 볼 수 있었다며 책을 추천해서 읽게 되었습니다.

12 쉬리, 배가사리, 금강모치 모두 물고기의 종류로, '물고기'에 포함되는 낱말입니다.

13 글쓴이는 상수리에 댐을 건설하면 숲에 사는 동물들이 살 곳을 잃고, 만강의 물고기를 볼 수 없게 되며 마을 어른들께서 고향을 떠나야 한다는 까닭을 들어 댐 건설에 반대하였습니다.

14 지난겨울 지리산에서 반달가슴곰이 세쌍둥이를 출산한 일에 대한 기사입니다.

15 지리산의 자연 생태계를 보전하기 위해 숲을 가꾸고 사람들이 들어갈 수 없는 곳을 정해야 한다는 내용을 전하고 있습니다.

16 '나'는 '그 아이'에게 등을 맞고도 '등이 욱신거렸지만 기분이 좋았다.'라고 하였습니다. '나'는 '그 아이'를 좋아하기 때문에 관심을 끌고 싶고 장난치고 싶어서 고무줄을 끊었습니다.

17 서로 좋아하는 친구와 마음을 확인하고 나서 설레는 감정을 표현한 부분입니다.

18 인물은 이야기에서 어떤 일을 겪는 사람이나 사물을 뜻합니다. 이 이야기에는 형과 동생, 우두머리 까마귀가 나옵니다.

19 동생은 금을 작은 자루에 채워 넣었고, 형은 큰 자루와 옷 속, 입속, 귓구멍 속에 채워 넣는 대비되는 행동을 하였습니다. 이것으로 두 사람의 결과도 대비될 것을 짐작할 수 있습니다. 형은 욕심을 부려 금을 가득 채워 넣어 결국 까마귀 등에서 떨어졌다는 내용이 이어지는 것이 자연스럽습니다.

20 좋아하는 친구를 떠올리는 시를 읽고 생각이나 느낌을 말한 것으로는 ③이 알맞습니다.

21 좋아하는 친구를 떠올리며 설레고 두근거리는 마음을 나타내는 말로는 '콩닥콩닥'이 어울립니다.

22 ㈎에서 '민호는'은 '누가', '초등학생입니다'는 '무엇이다'에 해당하므로 짜임이 같은 문장은 ⑤입니다.

문장	문장의 짜임
㈏ 초등학생인 민호는 + 친절합니다.	누가 + 어떠하다
㈐ 친절한 민호가 + 운동을 열심히 합니다.	누가 + 어찌하다
㈑ 운동을 열심히 하는 민호는 + 경찰을 꿈꿉니다.	누가 + 어찌하다
㈒ 경찰을 꿈꾸는 민호가 + 바로 제 친구입니다.	누가 + 무엇이다

23 ㈏의 '초등학생인 민호는'이 '누가', '친절합니다'가 '어떠하다'에 해당합니다.

11 '동기'는 어떤 일이나 행동을 일으키게 하는 원인이나 기회를 뜻하는 낱말입니다.

13 의견을 제시하는 글 읽기
• 왜 이런 의견을 내게 되었는지 문제 상황을 파악합니다.
• 어떤 의견을 제시하였는지 살펴봅니다.
• 의견을 뒷받침하는 까닭은 무엇인지 살펴봅니다.

21 ㉠'방실방실'은 입을 예쁘게 살짝 벌리고 자꾸 소리 없이 밝고 보드랍게 웃는 모양을 흉내 내는 표현입니다.

정답과 풀이

24 겹받침 'ㄹㄱ'이 뒤에 오는 자음자와 만나면 [ㄱ]만 소리 납니다. 그리고 '붉다', '맑다', '밝다' 등의 겹받침 'ㄹㄱ'은 그 뒤에 'ㄱ'으로 시작하는 글자가 붙으면 [ㄹ]로 소리 납니다.

⑩ 가을 산에 붉지 않은 단풍이 드물다. / 물이 참 맑기도 하구나.

        [북찌]   [말끼도]

25 진영이는 꽃밭에 쓰레기가 버려진 것을 보았으므로 꽃밭에 쓰레기를 버리지 말자는 제안을 썼을 것입니다.

26 꽃밭에 쓰레기를 버리지 않았을 때의 좋은 점이나 꽃밭에 쓰레기를 버렸을 때의 나쁜 점을 까닭으로 들 수 있습니다.

제안하는 글을 쓰는 방법
- 문제 상황 파악하기: 어떤 점이 문제인지 다른 사람에게 알 수 있게 자세히 씁니다.
- 제안하는 내용 정하기: 문제를 해결하기 위한 자신의 제안을 씁니다.
- 제안하는 까닭 파악하기: 왜 그런 제안을 했는지, 제안한 내용대로 했을 때 무엇이 더 나아지는지를 씁니다.
- 제목 정하기: 제안하는 내용이 잘 드러나게 제목을 붙입니다.

27 ㉠의 다음에 이어지는 문장을 살펴봅니다. 신호등이 설치되어 있는 횡단보도를 건널 때 주의할 점과 신호등이 없는 횡단보도를 걸널 때 주의할 점이 이어지는 것으로 보아 두 가지 내용을 모두 포함할 수 있는, 횡단보도를 건널 때 주의하자는 내용이 중심 문장으로 알맞습니다.

28 ㈎에서는 사람의 팔목 끝에 달린 부분, ㈏에서는 일을 하는 사람, ㈐에서는 어떤 일을 하는 데 드는 사람의 힘이나 노력, ㈑에서는 어떤 사람의 영향력이나 권한이 미치는 범위, ㈒에서는 사람의 꾀라는 뜻으로 쓰였습니다.

문장	밑줄 그은 부분의 뜻
㈎ 더운물로 손을 씻다.	신체의 일부분을 씻다.
㈏ 모심기 철에는 손이 많이 모자란다.	일할 사람이 많이 모자란다.
㈐ 돗자리를 짜는 데에는 손이 많이 간다.	노력이 많이 든다.
㈑ 살던 집까지 남의 손에 넘어갔다.	소유가 되었다.
㈒ 장사꾼의 손에 놀아나다.	꾐에 당하다.

29 |보기|에서 '손'은 어떤 사람의 영향력이나 권한이 미치는 범위라는 뜻으로 쓰였습니다.

30 |보기|에서 공으로 하는 운동 중 농구, 피구, 축구를 떠올렸습니다. 제시된 글에는 축구와 피구를 설명하는 내용이 나타나 있으므로 농구에 대한 설명이 이어지는 것이 알맞습니다.

25 제안하는 글을 쓰면 좋은 점
① 문제 상황과 해결 방법을 여러 사람에게 알릴 수 있습니다.
② 더 좋은 쪽으로 일을 해결할 수 있습니다.

27 중심 문장과 뒷받침 문장
① **중심 문장**: 문단의 내용을 대표하는 문장
② **뒷받침 문장**: 중심 문장의 내용을 자세히 설명하거나 보충하는 문장

실전 모의고사 **2**회

교재 | 60 ~ 77쪽

문항 번호	정답	대영역	중영역	평가 내용	난이도	배점
1	③	듣기·말하기	비판·감상	서로의 감정이나 생각을 받아 주는 말 알기	쉬움	3점
2	①	듣기·말하기	추론	상황에 알맞은 인물의 말투 짐작하기	보통	4점
3	⑤	듣기·말하기	추론	대화 장면에서 인물의 마음 짐작하기	보통	3점
4	④	어휘	관계	낱말의 관계 알기	보통	3점
5	⑤	읽기	내용 확인	글의 내용 파악하기	보통	3점
6	③	읽기	내용 확인	글의 내용 파악하기	보통	3점
7	④	읽기	내용 확인	글의 내용 파악하기	보통	4점
8	①	읽기	내용 확인	글을 읽고 글쓴이의 의견 파악하기	보통	3점
9	⑤	읽기	추론	글쓴이의 의견을 뒷받침하는 내용 추론하기	어려움	4점
10	①	읽기	평가·감상	글을 읽고 중심 문장과 뒷받침 문장을 구별하기	보통	3점
11	①	읽기	내용 확인	글의 내용 파악하기	쉬움	3점
12	③	읽기	평가·감상	글을 읽고 생각이나 느낌 표현하기	보통	3점
13	①	어휘	개념	뜻이 비슷한 낱말로 바꾸어 쓰기	보통	4점
14	③	읽기	내용 확인	글의 내용 파악하기	쉬움	3점
15	⑤	문학	수용과 생산	시에서 말하는 이의 마음 파악하기	보통	3점
16	⑤	문학	수용과 생산	글을 읽고 인물의 말을 짐작하기	보통	3점
17	③	문학	수용과 생산	글을 읽고 인물이 말한 의도 파악하기	어려움	4점
18	①	문학	수용과 생산	글을 읽고 글의 주제 파악하기	보통	3점
19	②	문학	수용과 생산	글에 나타난 표현의 의미 파악하기	보통	4점
20	④	문학	지식	글의 내용 파악하기	보통	3점
21	①	읽기	내용 확인	글의 내용 파악하기	쉬움	3점
22	③	어휘	관계	뜻이 비슷한 낱말 알기	보통	3점
23	②	어휘	의미·확장	다의어 알기	보통	4점
24	⑤	어휘	개념	고유어 알기	어려움	4점
25	③	문법	문장·담화	중심 문장과 뒷받침 문장 알기	보통	4점
26	⑤	문법	발음·표기·규범	낱말의 종류 알기	보통	3점

27	⑤	문법	발음·표기·규범	국어사전에서 낱말의 뜻을 찾는 방법 알기	보통	3점
28	③	쓰기	내용 생성	글의 내용에 어울리는 중심 문장 쓰기	보통	3점
29	⑤	쓰기	내용 조직	내용을 보고 설명하는 글 쓰기	보통	4점
30	④	쓰기	내용 조직	논설문에서 알맞은 주장 쓰기	보통	3점

풀이

1 대화를 할 때에는 상대의 입장이나 마음을 고려하며 말해야 합니다. ③은 정우를 위로해 주는 시현이의 마음을 상하게 할 수 있는 말입니다.

2 이어지는 재석이와 유빈이의 대화 내용으로 보아 유빈이는 재석이의 말에 당황했다는 것을 알 수 있습니다.

3 재석이는 유빈이에게 도움이 되지 않고 유빈이가 원하지도 않는 방법으로 문제를 해결하려고 하였습니다.

4 ㉠와 ㉡는 포함 관계에 있는 낱말입니다. '축구'는 '운동'에 포함되는 낱말입니다.

5 송편을 찔 때 솔잎을 넣으면 솔잎의 피톤치드가 세균이 송편에 번식하지 못하도록 막아 줘서 오래도록 두고 먹을 수 있기 때문입니다.

6 뉴턴은 프리즘을 통과한 빛이 여러 가지 색깔로 나누어지는 것을 보고 빛이 여러 가지 색깔로 이루어져 있다고 주장했습니다.

7 무지개의 색은 일곱 색깔이라고 단정 지어 말할 수 없고 빛이 연속적인 색으로 이루어진 것입니다.

8 글의 처음에 문화재를 개방해야 한다는 글쓴이의 의견이 나타나 있습니다.

9 이어지는 내용을 통해 자신이 체험한 문화재를 보호하려고 노력하는 사람이 늘어날 것이라는 내용이 들어가야 한다는 것을 알 수 있습니다.

10 제시된 글은 중심 문장과 뒷받침 문장으로 짜여진 글로, ㉠은 중심 문장, ㉡, ㉢, ㉣은 뒷받침 문장입니다. |보기|의 ㉮에는 중심 문장이 들어가야 하므로 ①이 맞습니다.

11 안용복은 조선의 평범한 어부로서 울릉도와 독도를 지키는 데 큰일을 한 인물입니다.

12 처음에는 울릉도와 독도가 일본의 땅이라고 주장하던 일본 정부가 안용복의 설득으로 울릉도와 독도가 조선의 땅임을 분명히 밝히는 문서를 써 주었습니다. 독도를 지키기 위해 애쓴 안용복에 대한 글을 읽고 떠올린 생각이나 느낌으로 알맞은 것을 찾아봅니다.

평가 개념과 도움말

3 상대를 배려하며 조언하기
① 상대에게 고민을 말하도록 강요하지 않습니다.
② 상대가 고민을 편하게 말할 수 있도록 잘 듣습니다.
③ 상대에게 도움이 되는 내용을 말합니다.
④ 상대에게 진심이 전해지도록 노력합니다.

4 포함 관계에 있는 낱말 예

포함하는 낱말	포함되는 낱말
나무	소나무, 등나무 등
계절	봄, 여름, 가을, 겨울
동물	사자, 토끼, 고양이 등

10 뒷받침 문장의 내용
· 중심 문장의 내용을 자세히 설명해 주는 내용
· 중심 문장에 대한 예
· 중심 문장을 뒷받침하는 까닭
· 제시된 글의 뒷받침 문장은 중심 문장의 예를 든 내용입니다.

13 일반적인 경우나 전체량에 가까운 정도를 뜻하는 낱말이 아닌 것을 찾아 봅니다.

① 대충: 대강을 추리는 정도로.

② 주로: 기본으로 삼거나 특별히 중심이 되게.

③ 거의: 어느 한도에 매우 가까운 정도로.

④ 대체로: 전체로 보아서. 또는 일반적으로.

⑤ 대부분: 절반이 훨씬 넘어 전체량에 거의 가까운 정도의 수효나 분량. 또는 일반적인 경우에.

13 '대개'의 뜻
1. 절반이 훨씬 넘어 전체량에 거의 가까운 정도의 수효나 분량.
2. 자세하지 않은, 기본적인 부분만을 따 낸 줄거리.
3. 일반적인 경우에.

14 끓일 때 물에 닿는 부분을 줄이는 것이 아니라 물에 닿는 부분을 넓게 하여 빨리 익도록 하기 위해서입니다.

15 제시된 시는 자신의 강낭콩과 영주의 강낭콩이 서로 엉킨 것처럼 자신도 영주와 가깝게 지내고 싶다는 내용으로, 영주를 좋아하는 마음이 나타나는 시입니다.

15 **시 속 인물의 마음을 상상하며 시를 읽는 방법**
① 시 속 인물이 무엇을 하였는지 살펴봅니다.
② 시 속 인물과 비슷한 경험을 떠올려 봅니다.
③ 인물의 마음을 상상하며 시를 읽어 봅니다.

16 여우가 ㉠과 같이 말한 후에 힘차게 뛰어올랐다는 내용이 이어지므로 ⑤가 알맞습니다.

17 여우는 포도를 먹기 위해 몇 번이나 뛰어올랐지만 포도를 딸 수 없었기 때문에 "저 포도는 너무 시어서 먹을 수가 없어."와 같이 말하며 포도 탓을 하고 변명을 한 것입니다.

18 수현이는 너무 힘들어서 포기하려고 생각하다가 자신이 꼴찌가 아니라는 사실을 알고 다시 힘을 내어 완주할 수 있었습니다. 수현이에게 용기를 주기 위해서 꼴찌로 같이 뛴 사람이 수현이의 아빠였다는 내용이므로 부모님의 사랑을 느낄 수 있습니다.

19 자신의 여러 가지 모습 중에 가장 진실된 모습이라는 의미입니다.

19 '가면'은 속뜻을 감추고 겉으로 거짓을 꾸미는 태도나 모습이라는 의미로 쓰이기도 합니다.

20 '나'는 어릴 때 집에 불이 나서 아빠가 자신을 구하는 중에 얼굴에 상처가 생겨 흉터가 있다고 하였습니다. 어릴 적에는 얼굴에 흉터가 있는 것이 부끄러웠지만 지금은 그것이 아빠의 사랑임을 알고 이후로 아빠의 다리를 낫게 해 줄 수 있는 의사가 되기로 결심했다고 하였습니다.

21 아버지의 발이 가장 크고, '내' 발이 가장 작으며, 누나의 발은 어머니의 발보다 작다고 하였습니다.

22 '가족'과 '식구'는 뜻이 비슷한 낱말입니다.

① 가상: 실물처럼 보이는 거짓 형상.

② 가축: 집에서 기르는 짐승. 소, 말, 돼지, 닭, 개 따위

③ 식구: 한 집에서 함께 살면서 끼니를 같이하는 사람.

④ 남매: 오빠와 누이를 아울러 이르는 말.

⑤ 어버이: 아버지와 어머니를 아울러 이르는 말.

23 '눈'은 여러 가지 뜻으로 쓰이는 낱말입니다.

'눈'의 여러 가지 뜻

1. 빛의 자극을 받아 물체를 볼 수 있는 감각 기관. ⑩ 눈이 맑다.
2. 물체의 존재나 형상을 인식하는 눈의 능력. 시력.
   ⑩ 눈이 나빠 안경을 쓴다.
3. 사물을 보고 판단하는 힘. ⑩ 그는 보는 눈이 정확하다.
4. 무엇을 보는 표정이나 태도. ⑩ 동경의 눈으로 바라보다.
5. 사람들의 눈길. ⑩ 다른 사람의 눈을 의식하다.

24 밑줄 그은 낱말은 우리말에 본디부터 있던 말이나 그것에 기초하여 새로 만들어진 고유어입니다.

우리말의 종류

고유어	우리말에 본디부터 있던 말이나 그것에 기초하여 새로 만들어진 말
한자어	한자를 바탕으로 만들어진 말
외래어	다른 나라 말을 빌려 와서 우리말처럼 쓰는 말

25 ㉠은 중심 생각을 나타내는 중심 문장입니다. 중심 문장은 문단의 처음에 있기도 하지만 문단의 마지막에 있을 수도 있습니다. ㉯의 문단에서 중심 문장은 마지막 문장인 '이처럼 씨앗의 모양은 여러 가지입니다.'입니다.

26 사람이나 사물의 이름을 나타내는 낱말, 사람이나 사물의 성질이나 상태를 나타내는 낱말, 사람이나 사물의 움직임을 나타내는 낱말로 구별해 봅니다. '좋아하는'은 사람이나 사물의 성질이나 상태를 나타내는 낱말입니다.

27 국어사전에서 낱말의 뜻을 찾을 때에는 낱말의 바뀌지 않는 부분에 '–다'를 붙인 기본형으로 찾아야 하며, '꺼내다'의 여러 가지 뜻 중 ㉠에서는 속이나 안에 들어 있는 물건 따위를 손이나 도구를 이용하여 밖으로 나오게 한다는 뜻으로 사용되었습니다.

28 딱지치기를 할 때 필요한 준비물, 놀이 방법, 승패를 가르는 법 등에 대한 내용이므로 딱지치기에 대하여 설명하는 내용의 중심 문장이 알맞습니다.

29 제시된 표에서 승패를 가르는 법을 봅니다. 바닥에 놓인 상대의 딱지를 쳐서 넘기는 사람이 이깁니다.

30 상민이가 학교 앞 횡단보도를 건너다가 차에 치일 뻔한 문제 상황이 나타나 있고, 학교 앞에 불법 주차된 차가 있을 때의 나쁜 점과 불법 주차된 차가 없을 때의 좋은 점을 근거로 들었으므로 학교 앞 길가에 불법 주차를 하지 말아 달라는 의견이 알맞습니다.

23 다의어와 동형어
- **다의어**: 두 가지 이상의 뜻을 가진 낱말
- **동형어**: 글자의 음은 같지만 의미상 연관이 없이 완전히 뜻이 다른 낱말

24 외래어는 처음에는 다른 나라의 말이었지만 지금은 우리말이 된 말이고, 외국어는 다른 나라의 말입니다.

⑩

외래어	빵, 텔레비전, 라디오 등
외래어	밀크(우유), 스커트(치마) 등

27 국어사전에서 낱말을 찾는 방법
- 낱말의 모양이 바뀌지 않는 경우, 그 낱말 모양대로 찾습니다.
- 낱말의 모양이 바뀌는 경우, 기본형으로 찾습니다.
- 낱말의 짜임에 따라 글자의 첫소리, 가운뎃소리, 끝소리 순서로 찾습니다.

실전 모의고사 **3**회

문항 번호	정답	대영역	중영역	평가 내용	난이도	배점
1	①	듣기 · 말하기	사실	대화를 듣고 대화 상황 파악하기	쉬움	3점
2	①	듣기 · 말하기	비판 · 감상	대화 장면에서 지켜야 할 대화 예절 알기	보통	3점
3	②	듣기 · 말하기	추론	대화 상황에 어울리는 말투 추론하기	보통	4점
4	④	읽기	추론	자료를 보고 글의 내용 추론하기	어려움	4점
5	④	읽기	평가 · 감상	학급 회의를 할 때 지켜야 할 점 알기	보통	3점
6	⑤	읽기	내용 확인	글의 내용 파악하기	보통	3점
7	④	읽기	내용 확인	글의 내용 파악하기	보통	3점
8	⑤	읽기	내용 확인	글쓴이가 전하고 싶은 마음 파악하기	쉬움	3점
9	②	읽기	평가 · 감상	글쓴이의 마음이 드러나는 표현 찾기	보통	3점
10	④	읽기	내용 확인	글을 읽고 내용 간추리기	보통	4점
11	①	읽기	내용 확인	글의 내용 파악하기	보통	3점
12	④	읽기	평가 · 감상	글의 내용에 알맞은 제목 찾기	보통	3점
13	④	읽기	평가 · 감상	제안하는 글의 내용을 정리하기	보통	3점
14	③	읽기	추론	광고에 나타난 표현의 의미를 추론하기	어려움	4점
15	①	문학	수용과 생산	이야기에서 인물의 의도 파악하기	보통	3점
16	④	문법	발음 · 표기 · 규범	바르게 띄어 쓰는 방법 알기	보통	4점
17	⑤	문학	수용과 생산	이야기를 읽고 인물의 생각 파악하기	보통	3점
18	②	문학	지식	이야기의 내용 파악하기	보통	3점
19	⑤	문학	수용과 생산	이야기에서 이어질 인물의 말 짐작하기	보통	4점
20	②	문학	지식	시의 내용 파악하기	쉬움	3점
21	③	문학	수용과 생산	시에서 비유적인 표현을 찾아 장면 떠올리기	보통	4점
22	⑤	문법	문장 · 담화	문장의 호응 알기	어려움	4점
23	②	어휘	개념	낱말의 종류 알기	쉬움	3점
24	②	문법	문장 · 담화	알맞은 높임 표현 알기	보통	3점
25	②	어휘	개념	낱말의 뜻 알기	보통	3점
26	①	어휘	개념	낱말의 뜻 알기	보통	3점
27	⑤	어휘	의미 · 확장	복수 표준어 알기	보통	3점

28	②	어휘	의미·확장	상황에 어울리는 속담 알기	보통	4점
29	⑤	쓰기	내용 생성	주제에 알맞은 내용 떠올리기	보통	3점
30	④	쓰기	내용 조직	의견을 뒷받침하는 내용 조직하기	보통	4점

풀이

1 친구들이 신유의 집에 놀러가서 신유 방을 구경하며 대화를 나누는 상황입니다.

2 신유는 "나만 빼고 너희끼리 귓속말로 비밀 이야기를 하는 것 같아 기분이 나빠."라고 말했으므로 귓속말을 하지 말아야 한다는 것을 알 수 있습니다.

3 남자아이는 똑같이 "네, 그럴게요."라고 말했지만 상황에 따라 어떤 말투가 알맞을지 생각해 봅니다.

그림의 상황

| (가) | 남자아이가 아빠께 격려의 말을 듣는 상황 |
| (나) | 남자아이가 아빠께 혼나는 상황 |

4 |보기|의 휴대 전화 한글 자판을 보면 자음자와 모음자 버튼이 있으므로 한글의 자음자와 모음자의 획을 더하는 원리에 기초하여 설계되었다는 것을 알 수 있답니다.

5 찬우는 희정이가 발표할 때 끼어들어 말하였습니다. 회의할 때에는 손을 들어 사회자에게 발언권을 얻어서 말해야 합니다.

6 패션에 대한 생각은 시대에 따라 확연히 달라지기 때문에 어떤 시대에는 아름답다고 여겨지던 것들이 다음 세대에는 끔찍한 것으로 여겨지기도 한다고 하였습니다.

7 중세 유럽에서는 절제와 경건함을 강조하던 교회의 힘이 약해지자 몸매를 드러내는 과감한 옷이 유행하였습니다.

8 엄마가 두 딸에게 사랑하는 마음을 전하는 편지입니다.

9 ②는 작은딸을 부르는 표현으로, 마음이 드러나는 표현은 아닙니다.

10 옛날과 오늘날 비가 올 때 사용하는 도구에 대한 내용이 잘 드러나게 간추려야 합니다.

각 문단의 중심 내용

| 첫 번째 문단 | 옛날 사람들은 비가 올 때면 삿갓이나 도롱이를 사용했다. |
| 두 번째 문단 | 오늘날 사람들은 우산을 쓴다. |

평가 개념과 도움말

5 회의에서 참여자들이 지켜야 할 규칙

사회자	• 골고루 말할 기회를 줍니다.
회의 참여자	• 사회자의 허락을 얻고 말합니다. • 친구가 의견을 말할 때 끼어들지 않습니다.
기록자	• 중요한 내용을 요약해서 기록합니다. • 회의 날짜와 시간, 장소를 기록합니다.

10 글의 내용을 간추리는 방법
① 각 문단의 중심 내용을 찾습니다.
② 중심 내용을 이어 주는 말을 찾습니다.
③ 각 문단의 중심 내용을 연결해 전체 글의 내용을 간추립니다.

11 '소재'는 어떤 것을 만드는 데 바탕이 되는 재료를 뜻하는 낱말입니다. ㉡~㉢은 모두 비가 올 때 사용하는 도구를 만드는 재료에 해당하지만 ㉠ '삿갓'은 모자의 종류로 '소재'에 해당하는 낱말이 아닙니다.

12 깨끗한 물을 마시지 못하는 아프리카의 일부 아이들을 위해 기부 운동에 참여하자는 내용의 글이므로 제목으로는 '깨끗한 물을 나누어 주세요'가 가장 알맞습니다.

13 제시된 글은 제안하는 글로, ┃보기┃에서는 문제 상황과 제안하는 내용, 제안하는 까닭을 차례로 정리하였습니다.

14 공익 광고에서 '내가 지식인이 되는 방법, 인터넷 검색이 아닌 독서입니다.'라고 하였습니다.

'인터넷 검색'을 뜻하는 부분	'독서'를 뜻하는 부분
'찾기', 화살표 모양 그림	'읽기', 손 모양 그림

15 준의 할아버지는 흉년일 때 농부들이 헐값에 논을 팔고 나서 나중에 후회할까 봐 논이 헐값일 때는 논을 사지 않았습니다. 그래서 농부는 근방에 흰죽 논이 없다고 하였습니다.

16 '것, 수, 줄' 등은 앞말과 띄어 쓰고, '이다' 등은 앞말과 붙여 씁니다.

17 '나'는 사람들의 소원을 들으며 그것이 그 사람의 마음을 어루만져 주는 것임을 깨달았습니다.

18 천수는 형이 주인공인 것을 기대했지만 형이 나무 분장을 하며 서 있는 것을 보고 울음을 터뜨렸습니다.

19 형은 모든 역할이 다 중요하다는 생각을 가지고 있습니다.

20 1연과 2연에서 봄비가 내려와 앉으면 꽃씨가 살짝 돌아누우며 눈을 뜬다고 하였습니다.

21 꽃씨가 눈을 뜬다는 표현에서 꽃씨가 싹을 틔우려고 벌어진 모습을 떠올릴 수 있고, 꽃씨가 파란 손을 내민다는 표현에서 꽃씨의 싹이 나오는 모습을 떠올릴 수 있습니다.

22 ㉢은 '어제'에 어울리도록 '갈 것이다'를 '갔다'로 고쳐 쓰거나, '갈 것이다'에 어울리도록 '어제'를 '내일'로 고쳐 쓸 수 있습니다.
바르게 고쳐 쓰기 ㉤
㉠ 도서관에는 새로운 책이 전혀 없다.
㉡ 그것은 결코 위험한 행동이 아니다.
㉢ 나는 여행 다니는 것을 별로 좋아하지 않는다.
㉣ 어제는 비가 내리고 바람이 불었다.
㉤ 나는 어제 동생과 함께 도서관에 갔다.

---

12 제목은 제안하는 내용이 잘 드러나게 붙입니다.

13 제안하는 글을 쓰는 과정
문제 상황 확인하기 → 제안하는 내용 정하기 → 제안하는 까닭 파악하기 → 제안하는 글 쓰기

22 문장의 호응
① 높임의 대상과 서술어의 호응
　예 어머니께 선물을 드렸어.
② 시간을 나타내는 말과 서술어의 호응
　예 내일 도서관에 갈 거야.
③ 주어와 목적어와 서술어의 호응
　예 도둑이 경찰에게 잡혔다.
　　경찰이 도둑을 잡았다.
④ 꾸며 주는 말과 서술어의 호응
　예 만약 날씨가 좋다면 공원에 가서 자전거를 타자.

23 ㉠에는 사람이나 사물의 성질이나 상태를 나타내는 낱말이 들어가야 하는데, '뛰다'는 사람이나 사물의 움직임을 나타내는 낱말입니다.

24 웃어른께는 '주다' 대신 '드리다'를 써야 합니다.

친구들이 사용한 높임 표현 살펴보기
① 은서: 이번 주말이 우리 아빠 생신이야.
③ 하정: 아빠께서 좋아하시는 걸 드려야지.
④ 지서: 뭘 받고 싶으신지 아빠께 여쭈어 봐.
⑤ 영규: 아빠께서 네 선물을 받고 기뻐하시면 좋겠어.

> **24 높임 표현을 사용하는 방법**
> ① 문장을 '-습니다'로 끝냅니다.
> ② '-께'나 '-께서'를 붙인다.
> ③ '-시-'를 넣습니다.
> ④ 높임의 뜻이 있는 낱말을 사용합니다.

25 다른 나라에 물건을 파는 것을 '수출', 다른 나라에서 물건을 사 오는 것을 '수입'이라고 합니다. '지출'은 어떤 목적을 위하여 돈을 내주는 일, '소득'은 일한 결과로 얻은 정신적·물질적 이익, '지불'은 값을 치르는 일을 뜻하는 낱말입니다.

26 '관세'의 뜻입니다.

27 '하르방'은 '할아버지'의 제주 방언입니다.

> **27 복수 표준어**
> 같은 뜻을 가진 여러 말을 모두 표준어로 인정하는 것을 '복수 표준어'라고 합니다.

28 장난감을 사는 것(기본이 되는 것)보다 장난감을 고치는 것(덧붙이는 것)이 더 많거나 큰 경우를 비유적으로 이르는 속담은 '배보다 배꼽이 더 크다'입니다.

속담	뜻
① 티끌 모아 태산	아무리 작은 것이라도 모이고 모이면 나중에 큰 덩어리가 됨을 비유적으로 이르는 말.
② 배보다 배꼽이 더 크다	기본이 되는 것보다 덧붙이는 것이 더 많거나 큰 경우를 비유적으로 이르는 말.
③ 까마귀 날자 배 떨어진다	아무 관계 없이 한 일이 공교롭게도 때가 같아 어떤 관계가 있는 것처럼 의심을 받게 됨을 비유적으로 이르는 말.
④ 금강산 구경도 식후경이라	아무리 재미있는 일이라도 배가 불러야 흥이 나지 배가 고파서는 아무 일도 할 수 없음을 비유적으로 이르는 말.
⑤ 사공이 많으면 배가 산으로 간다	여러 사람이 자기 주장만 내세우면 일이 제대로 되기 어려움을 비유적으로 이르는 말.

29 '편식'은 어떤 특정한 음식만을 가려서 즐겨 먹는다는 뜻으로 음식 조리 방법 중의 하나가 아닙니다.

30 '편식하면 안 된다'라는 의견을 뒷받침하기 위해서는 편식을 하면 나쁜 점이나 편식을 하지 않을 때 좋은 점을 들어야 합니다.

> **30 의견을 뒷받침하는 내용**
> ① 의견과 관련이 있어야 합니다.
> ② 많은 사람이 동의할 수 있어야 합니다.
> ③ 구체적이고 믿을 수 있어야 합니다.

실전 모의고사 **4**회

문항 번호	정답	대영역	중영역	평가 내용	난이도	배점
1	③	듣기 · 말하기	추론	인물의 표정이나 몸짓에 알맞은 말 추론하기	보통	4점
2	⑤	듣기 · 말하기	사실	대화 장면 파악하기	쉬움	3점
3	①	듣기 · 말하기	비판 · 감상	대화 장면을 보고 대화 예절 알기	보통	3점
4	②	읽기	내용 확인	글의 종류 알기	보통	3점
5	④	읽기	내용 확인	글의 내용 파악하기	보통	3점
6	①	읽기	내용 확인	글을 읽고 중요한 내용 간추리기	보통	4점
7	①	읽기	내용 확인	글의 내용 파악하기	쉬움	3점
8	①	읽기	추론	글의 내용과 자료의 내용을 연관 짓기	보통	4점
9	②	읽기	추론	글을 읽고 글쓴이의 의견 추론하기	보통	3점
10	③	읽기	평가 · 감상	글쓴이의 의견에 대하여 생각 나누기	보통	3점
11	③	읽기	내용 확인	글의 내용을 사실과 의견으로 구별하기	보통	3점
12	④	읽기	내용 확인	학급 회의의 절차 알기	보통	3점
13	⑤	읽기	추론	학급 회의에서 참여자의 역할 알기	보통	3점
14	①	읽기	추론	글에 사용된 비유적 표현 파악하기	보통	3점
15	②	읽기	평가 · 감상	고사성어의 유래 알기	어려움	4점
16	②	문학	지식	이야기를 읽고 일이 일어난 차례 파악하기	보통	3점
17	②	문법	발음 · 표기 · 규범	낱말의 짜임 알기	보통	4점
18	④	문학	지식	글의 내용 파악하기	보통	3점
19	⑤	문학	수용과 생산	이야기의 주제 파악하기	쉬움	3점
20	⑤	문학	지식	시의 내용 파악하기	보통	3점
21	④	문학	수용과 생산	시 속 인물과 면담하기	보통	3점
22	⑤	어휘	의미 · 확장	관용 표현의 뜻 알기	보통	4점
23	②	어휘	의미 · 확장	표준어와 방언 알기	어려움	4점
24	④	어휘	개념	수량의 단위를 나타내는 말 알기	보통	3점
25	⑤	어휘	문장 · 담화	문장의 종류 알기	보통	3점
26	①	문법	발음 · 표기 · 규범	겹받침을 바르게 발음하기	보통	4점
27	②	쓰기	고쳐쓰기	교정 부호의 쓰임 알기	보통	3점

28	③	쓰기	고쳐쓰기	글 수준에서 고쳐쓰기	어려움	4점
29	④	쓰기	내용 조직	짜임에 알맞게 주장하는 글 쓰기	보통	4점
30	①	쓰기	내용 생성	상황에 알맞은 제안하는 글 쓰기	쉬움	3점

풀이

1 그림 **1**에서 인물은 엄지손가락을 들고 밝은 표정을 짓고 있으므로 달리기를 잘한 친구를 응원하고 칭찬하는 말을 했을 것이고, 그림 **2**에서는 남자아이가 배를 잡고 찡그린 표정을 짓고 있으므로 인물은 남자아이를 걱정하는 말을 했을 것입니다.

2 신유의 친구들이 신유 생일잔치를 하기 위해 신유 집에 가서 대화하는 상황입니다.

3 원우는 집에 들어가면서 신유 어머니께 인사를 제대로 하지 않았고, 음식을 먹기 전에 감사 인사를 하지 않았습니다.

4 제시된 글은 『초록 고양이』를 읽고 주인공에게 편지 형식으로 쓴 독서 감상문입니다.

5 편지를 받는 이와 책을 읽고 감동받은 점, 앞으로의 다짐, 주인공에게 고마운 점, 쓴 날짜와 쓴 사람 등이 나타나 있습니다.

6 에너지를 절약하는 방법을 두 가지로 나누어서 두 번째 문단에 에너지를 불필요하게 사용하지 않는 방안과 실천 방법을, 세 번째 문단에 에너지 사용을 줄이는 방안과 실천 방법을 말하였습니다.

7 스마트폰에 중독된 사람이 많고 특히 어린이들의 스마트폰 의존도가 꾸준히 높아지고 있는 문제 상황이 나타나 있습니다.

8 제시된 자료는 휴대 전화 관련 교통사고 발생량이 해마다 늘어나고 있다는 내용의 그래프이므로 스마트폰 중독이 안전을 위협한다는 내용을 뒷받침합니다.

9 동물원이 있어서 좋은 점이 근거로 나타나 있으므로 동물원이 있어야 한다는 의견이 알맞습니다.

10 동물원이 있어야 한다는 의견에 찬성하는 내용을 말한 사람은 민준이와 태익입니다. 연지와 호연이의 말은 동물원을 없애야 한다는 주장에 찬성하는 내용입니다.

11 사실은 실제로 있었던 일이나 지금 현재 있는 일, 의견은 어떤 대상이나 현상에 대하여 가지는 생각을 뜻합니다.

12 실천 내용에 대하여 친구들에게 찬성과 반대를 묻고 더 많은 수가 나온 실천 내용으로 결정하는 표결 절차입니다.

평가 개념과 도움말

3 일상생활에서 예절을 지키며 대화하는 방법
① 눈을 마주치며 바르게 인사합니다.
② 바르고 고운 말을 사용합니다.
③ 상대방이 말할 때 끼어들지 않습니다.
④ 웃어른께는 알맞은 높임말을 씁니다.

4 시, 일기, 편지 등 여러 가지 형식으로 독서 감상문을 쓸 수 있습니다.

12 회의의 절차

개회	회의의 시작을 알립니다.
주제 선정	회의 주제를 정합니다.
주제 토의	선정한 주제에 맞는 의견을 제시합니다.
표결	찬성과 반대 의견을 헤아려 다수결로 결정합니다.
결과 발표	결정한 의견을 발표합니다.
폐회	회의 마침을 알립니다.

13 학급 회의에서 기록자는 회의 날짜, 시간, 장소를 기록하고, 회의 결과 결정 사항을 쉽고 간략하게 기록합니다.

14 소대의 이야기에서 조개는 연나라, 황새는 조나라, 어부는 진나라를 비유한 표현입니다.

글에 나타난 비유적 표현

비유적 표현	의미
황새가 조개의 살을 쫌.	조나라가 연나라를 침략함.
어부가 이득을 봄.	진나라가 이득을 봄.

15 두 사람이 맞붙어 싸우는 바람에 엉뚱한 제3자가 덕을 본다는 뜻의 '어부 지리'의 유래입니다.

고사성어의 뜻
① 사면초가: 아무에게도 도움을 받지 못하는, 외롭고 곤란한 지경에 빠진 형편을 이르는 말
② 어부지리: 두 사람이 이해관계로 서로 싸우는 사이에 엉뚱한 사람이 애쓰지 않고 가로챈 이익을 이르는 말
③ 결초보은: 죽은 뒤에라도 은혜를 잊지 않고 갚는 것을 이르는 말
④ 온고지신: 옛것을 익히고 그것을 미루어서 새것을 안다는 뜻
⑤ 역지사지: 처지를 바꾸어서 생각하여 본다는 뜻

16 목화 장수들의 광에 쥐가 많아서 목화 장수 네 명이 똑같이 돈을 내어 고양이를 사고 다리 하나씩을 각자 몫으로 정했습니다. 고양이가 다리 하나를 다치자 그 다리를 맡은 사람이 산초 기름을 발라 주었는데 그 다리에 불이 붙어 광 속의 목화가 다 타 버리자 목화 장수들은 누가 목홧값을 물어야 할지 고을 사또를 찾아가 판결을 해 달라고 부탁했습니다.

17 사이시옷이 들어간 낱말이 아닌 것을 찾아봅니다.

18 여자아이는 까마귀가 무서운 새가 아니라는 엄마의 말에 "까치처럼 예쁘지 않잖아!"라고 말하고, 겉모습만 보고 차별을 두면 안 된다는 엄마의 말에 "그래도 새까매서 싫어!"라고 말하였습니다.

19 엄마가 여자아이에게 하는 말을 통해서 겉모습만 보고 다른 사람을 평가하거나 차별을 두면 안 되고, 눈에 보이는 것이 전부가 아니라는 이야기의 주제를 알 수 있습니다.

20 3연에서 아이의 말을 통해 2연은 아빠가 아이에게 한 변명이라는 것을 알 수 있습니다.

21 아빠가 지하 주차장으로 차를 가지러 내려가고 아이가 아빠를 기다렸으므로 유리의 질문은 아빠가 아닌 아이에게 할 질문으로 알맞습니다.

---

13 회의에서 참여자의 역할

사회자	• 회의 절차를 안내합니다. • 말할 기회를 줍니다.
회의 참여자	• 의견을 발표합니다. • 다른 사람의 의견을 주의 깊게 듣습니다.
기록자	• 회의가 열린 날짜와 시간, 장소를 기록합니다. • 회의 내용을 기록합니다.

15 고사성어: 옛이야기에서 유래한, 한자로 이루어진 말

17 사이시옷을 쓰는 경우
① 뒷말의 첫소리가 된소리로 나는 경우
예 나뭇가지(나무+가지)
② 뒷말의 첫소리 'ㄴ, ㅁ' 앞에서 'ㄴ' 소리가 덧나는 경우
예 빗물(비+물)
③ 뒷말의 첫소리 모음 앞에서 'ㄴ' 소리가 덧나는 경우
예 나뭇잎(나무+잎)

22 '손이 맵다'는 손으로 슬쩍 때려도 몹시 아프다는 뜻입니다. '손이 크다'는 씀씀이가 후하고 크다는 뜻입니다.

23 '정구지'는 '부추'의 방언입니다.

24 옷 한 벌, 배추 한 포기, 집 한 채가 알맞습니다.

생활과 관련된 수량의 단위를 나타내는 낱말

의생활	• 옷 한 벌 • 신발 한 켤레 • 양말 한 짝	식생활	• 배추 한 포기 • 벼 한 톨 • 고등어 한 손
주생활	• 집 한 채 • 방 한 칸 • 아파트 한 동	그 외	• 시 한 편 • 차 한 대 • 배 한 척

25 | 보기 |는 함께 하기를 요청하는 문장입니다.

26 ①은 [박찌], ②는 [말끼도], ③은 [물꼬], ④는 [불께], ⑤는 [일끼]로 소리 나므로 ①은 ㄹㄱ이 [ㄱ]으로 소리 나고, 나머지는 [ㄹ]로 소리 납니다.

27 '가장좋아한다' 부분을 '가장 좋아한다'와 같이 띄어 써야 하기 때문에 ∨ 을 사용해야 합니다.

교정 부호의 쓰임

교정 부호	쓰임	예
⌒	붙여 쓸 때	사랑 하는 사람들
∨	띄어 쓸 때	기분 좋은하루
⌐	여러 글자를 고칠 때	음식을 마신개 먹었다. (맛있게)
℘	글자를 뺄 때	가족과 함께 저녁 음식을 먹었다.
♂	한 글자를 고칠 때	마나러 간다. (만)

28 다른 사람을 존중하는 마음을 전할 수 있는 고운 말을 사용하자는 내용이므로 ⓒ과 같이 관련이 없는 문장은 삭제하는 것이 좋습니다.

29 본론에는 우리 전통 음식을 사랑하고 발전시키자는 주장을 뒷받침할 수 있는 근거가 들어가야 합니다.

30 횡단보도를 건널 때 좌우를 살피지 않고 휴대 전화를 보고 있는 문제 상황이 나타나 있으므로 횡단보도를 건널 때 좌우를 살피자는 제안을 하는 것이 가장 알맞습니다.

25 여러 가지 문장의 종류
① 설명하는 문장
　예 비가 와요.
② 느낌을 표현하는 문장
　예 아기가 귀엽구나!
③ 무엇인가를 묻는 문장
　예 연희가 어디 있는지 아니?
④ 무엇을 하도록 시키는 문장
　예 외투를 입고 가거라.
⑤ 함께 하기를 요청하는 문장
　예 같이 공놀이 하자.

27 교정 부호: 글을 쓰고 나서 잘못된 부분을 바로잡을 때 쓰는 약속된 기호

29 주장하는 글의 짜임

서론	글을 쓰게 된 문제 상황과 글쓴이의 주장을 밝힙니다.
본론	글쓴이의 주장에 대한 적절한 근거를 제시합니다.
결론	글의 내용을 요약하고 주장을 다시 한 번 강조합니다.

立 身 揚 名

설 몸 날릴 이름
입 신 양 명

'호랑이는 죽어서 가죽을 남기고,
사람은 죽어서 이름을 남긴다.'는 속담을 알고 있나요?
착하고 훌륭한 일을 하면 그 사람의 이름이 후세에까지 빛난다는 뜻인데,
'입신양명'도 같은 의미로 사용되는 말이랍니다.
열심히 공부하는 여러분! '입신양명'을 응원합니다.

해당 콘텐츠는 천재교육 '똑똑한 하루 독해'를 참고하여 제작되었습니다.
모든 공부의 기초가 되는 어휘력+독해력을 키우고 싶을 땐,
똑똑한 하루 독해&어휘를 풀어보세요!

정답은
이안에
있어.!

◀

논술·한자교재

- ●YES 논술   1~6학년/총 24권

- ●천재 NEW 한자능력검정시험 자격증 한번에 따기   8~5급(총 7권) / 4급~3급(총 2권)

영어교재

- ●READ ME
  - – Yellow 1~3   2~4학년(총 3권)
  - – Red 1~3   4~6학년(총 3권)

- ●Listening Pop   Level 1~3

- ●Grammar, ZAP!   Level 1~3
  - – 입문   1, 2단계
  - – 기본   1~4단계
  - – 입문   1~4단계

- ●Grammar Tab   총 2권

- ●Let's Go to the English World!   Level 1~3
  - – Conversation   1~5단계, 단계별 3권
  - – Phonics   총 4권

예비중 대비교재

- ●천재 신입생 시리즈   수학 / 영어

- ●천재 반편성 배치고사 기출 & 모의고사

월간교재

- ●NEW 해법수학   1~6학년

- ●월간 무등생평가   1~6학년

배움으로 행복한 내일을 꿈꾸는
천재교육 커뮤니티 안내 . . .

교재 안내부터 구매까지 한 번에!
천재교육 홈페이지

천재교육 홈페이지에서는 자사가 발행하는 참고서,
교과서에 대한 소개는 물론 도서 구매도 할 수 있습니다.
회원에게 지급되는 별을 모아 다양한 상품 응모에도
도전해 보세요.

구독, 좋아요는 필수! 핵유용 정보 가득한
천재교육 유튜브 <천재TV>

신간에 대한 자세한 정보가 궁금하세요?
참고서를 어떻게 활용해야 할지 고민인가요?
공부 외 다양한 고민을 해결해 줄 채널이 필요한가요?
학생들에게 꼭 필요한 콘텐츠로 가득한 천재TV로 놀러오세요!

다양한 교육 꿀팁에 깜짝 이벤트는 덤!
천재교육 인스타그램

천재교육의 새롭고 중요한 소식을 가장 먼저 접하고 싶다면?
천재교육 인스타그램 팔로우가 필수!
누구보다 빠르고 재미있게 천재교육의 소식을 전달합니다.
깜짝 이벤트도 수시로 진행되니 놓치지 마세요!